O livro
que você
gostaria que
seus pais
tivessem lido

Philippa Perry

O livro que você gostaria que seus pais tivessem lido
(e seus filhos ficarão gratos por você ler)

TRADUÇÃO Guilherme Miranda

20ª reimpressão

Copyright © 2019 by Philippa Perry
Originalmente publicado em língua inglesa pela Penguin Books Ltd, Londres
Todos os direitos reservados.

O selo Fontanar foi licenciado para a Editora Schwarcz S.A.

*Grafia atualizada segundo o Acordo Ortográfico da Língua Portuguesa de 1990,
que entrou em vigor no Brasil em 2009.*

TÍTULO ORIGINAL The Book You Wish Your Parents Had Read

PREPARAÇÃO Alexandre Boide

ÍNDICE REMISSIVO Luciano Marchiori

REVISÃO Adriana Bairrada e Valquíria Della Pozza

Dados Internacionais de Catalogação na Publicação (CIP)
(Câmara Brasileira do Livro, SP, Brasil)

Perry, Philippa
   O livro que você gostaria que seus pais tivessem lido :
(e seus filhos ficarão gratos por você ler) / Philippa Perry ;
tradução Guilherme Miranda. — 1ª ed. — São Paulo :
Fontanar, 2020.

   Título original: The Book You Wish Your Parents Had
Read.
   ISBN 978-85-8439-160-8

   1. Criação de filhos 2. Família – Aspectos psicológicos
3. Pais e filhos 4. Parentalidade 5. Psicoterapia familiar
6. Relações familiares I. Título.

20-32744   CDD-155.646

Índice para catálogo sistemático:
1. Criação de filhos : Parentalidade : Psicologia 155.646

Maria Alice Ferreira – Bibliotecária – CRB-8/7964

Todos os direitos desta edição reservados à
EDITORA SCHWARCZ S.A.
Rua Bandeira Paulista, 702, cj. 32
04532-002 — São Paulo — SP
Telefone: (11) 3707-3500
facebook.com/Fontanar.br
twitter.com/fontanar_br
instagram.com/editorafontanar

*Este livro é dedicado com amor
à minha irmã Belinda*

Sumário

Prefácio 11
Introdução 13

1. Nosso legado como pais 17
O passado volta para nos assombrar
(e assombrar nossos filhos) 17
Ruptura e reparação 25
Reparar o passado 29
Como falar com nós mesmos 33
Bons pais/ maus pais: a desvantagem do julgamento .. 37

2. O ambiente dos seus filhos 41
O que importa não é a estrutura familiar,
mas como nos relacionamos 41
Quando os pais não estão juntos 43
Como tornar a dor mais suportável 46
Quando os pais estão juntos 47
Como discutir e como não discutir 49
Como estimular a boa vontade 56

3. Sentimentos 61
   Aprender a conter sentimentos 62
   A importância de validar sentimentos 66
   O perigo de desaprovar sentimentos:
   um estudo de caso 73
   Ruptura e reparação e sentimentos 78
   Sentir junto em vez de tentar resolver 80
   Monstros embaixo da cama 83
   A importância de aceitar todos os humores 85
   A obrigação de ser feliz 88
   Distrações para fugir dos sentimentos 93

4. Criando os alicerces 98
   Gravidez 98
   Magia imitativa 102
   Qual é sua tribo? 108
   O bebê e você 112
   Faça um plano de parto 112
   Relatar a experiência de parto 114
   Breast crawl 115
   O laço inicial 117
   Apoio: para cuidarmos, precisamos ser cuidados .. 120
   Teoria do apego 129
   Choros coercivos 134
   Hormônios diferentes, diferenças em você 137
   Solidão 138
   Depressão pós-parto 141

5. Condições para a boa saúde mental 149
   O laço 150
   Dar e receber, o vaivém da comunicação 151
   Como começa o diálogo 153
   Alternância de turnos 154

Quando o diálogo é difícil: diafobia 155
A importância da observação engajada 160
O que acontece quando você se vicia no celular ... 162
Nascemos com uma capacidade inata para o diálogo 163
Bebês e crianças também são pessoas 167
Como treinamos nossos filhos para serem irritantes
— e como romper esse ciclo 169
Por que uma criança se torna "pegajosa" 172
Como encontrar sentido em cuidar dos filhos 174
O estado de humor habitual de seu filho 175
Sono 176
O que é o incentivo ao sono? 181
Ajudar, não resgatar 184
Brincar 188

6. Comportamento:
   todo comportamento é comunicação 195
   Modelos 196
   O jogo de ganhar e perder 198
   Manter o que funciona no presente em vez do que
   você fantasia que possa acontecer no futuro 201
   As qualidades de que precisamos para nos
   comportar bem 202
   Se todo comportamento é comunicação, o que este
   ou aquele comportamento inconveniente significa? . 207
   Investir seu tempo de forma positiva agora em vez
   de negativamente depois 213
   Ajudar o comportamento expressando sentimentos
   em palavras 214
   Quando as explicações não ajudam 216
   Até que ponto os pais devem ser rígidos? 220
   Mais sobre birras 225

Choramingos 230
As mentiras dos pais 235
As mentiras dos filhos 239
Limites: defina a sua perspectiva,
não a dos seus filhos 248
Definir limites com crianças mais velhas
e adolescentes 258
Adolescentes e jovens adultos 262
E, finalmente: quando formos todos adultos 270

Epílogo 275
Sugestões de leituras e produções audiovisuais 279
Agradecimentos 283
Índice remissivo 291

Prefácio

Este não é um livro simples sobre criação dos filhos. Não vou entrar em detalhes sobre como ensinar a criança a usar o vaso sanitário ou desmamar.

Trata-se de um livro sobre como criamos laços com nossos filhos, o que atrapalha a criação de uma relação de maior proximidade e o que pode contribuir para isso.

É sobre como fomos criados e como isso afeta nossa postura como pais, os erros que vamos cometer — principalmente aqueles que nunca queremos cometer — e o que fazer a respeito.

Não haverá muitas dicas ou truques sobre como criar os filhos neste livro, que, às vezes, pode deixar você triste, com raiva ou até contribuir para que exerça melhor seu papel.

Escrevi o livro que queria ter por perto quando fui mãe de primeira viagem, e que gostaria muito que meus pais tivessem lido.

Introdução

Recentemente, assisti a uma apresentação do comediante Michael McIntyre em que ele disse que existem quatro coisas que precisamos fazer com nossos filhos: vestir, alimentar, dar banho e colocar na cama. Ele falou que, antes de ter filhos, tinha uma fantasia de que ser pai seria correr pelos gramados dos parques e fazer piqueniques, mas a realidade era que todo dia se transformava em uma batalha constante só para conseguir que as crianças fizessem essas quatro coisas básicas. Foram muitas as gargalhadas da plateia enquanto ele descrevia como convencia os filhos a lavar o cabelo, vestir um casaco, sair de casa ou comer uma verdura. Eram risadas de pais, talvez como nós, que passaram por isso também. O trabalho dos pais* pode ser dureza. Pode ser cansativo, deprimente, frustrante e desgastante, embora ao mesmo tempo seja a expe-

---

* Quando uso a palavra "pais", me refiro aos responsáveis pelo bem-estar de crianças, seja por razões biológicas e legais, seja por relações de parentesco ou amizade próxima; em outras palavras, o termo "pais" pode ser usado de maneira intercambiável com "principais responsáveis". Às vezes, uso a palavra "cuidadores"; isso pode significar mães e pais, madrastas e padrastos, babás ou qualquer pessoa que seja a principal encarregada de cuidar da criança.

riência mais divertida, feliz, amorosa e estupenda que você vai ter na vida.

Quando você se sente sobrecarregado de informações detalhadas sobre sonecas, doenças da infância, birras (de crianças pequenas ou adolescentes) ou quando sai de um dia cansativo em sua atividade profissional e chega em casa para seu trabalho real, que inclui tirar restos de banana dos cantos da cadeirinha de bebê, ou mais uma carta da diretora convocando você para uma reunião na escola, pode ser difícil colocar a criação dos filhos em perspectiva. Este livro tem o objetivo de apresentar esse quadro mais amplo, ajudar você a dar um passo para trás a fim de ver o que importa e o que não importa, o que pode ser feito para ajudar seus filhos a se tornarem as pessoas que eles têm potencial para ser.

A base da criação dos filhos é a relação que você cria com eles. Se as pessoas fossem plantas, a relação seria o solo. A relação sustenta, nutre, permite o crescimento — ou o inibe. Sem uma relação em que se possa apoiar, a criança tem sua segurança comprometida. O ideal é que a relação seja uma fonte de força para seus filhos — e, um dia, para os filhos deles também.

Como psicoterapeuta, passei pela experiência de escuta e diálogo com pessoas que enfrentam dificuldades com diferentes aspectos da criação dos filhos. Por meio do meu trabalho, tive a oportunidade de investigar como os relacionamentos se tornam disfuncionais — e o que os faz voltar a funcionar bem. O objetivo deste livro é compartilhar com você o que é relevante quando o assunto é a criação dos filhos. Isso vai incluir como trabalhar com sentimentos — os seus e os deles —, como entrar em sintonia com seus filhos para que você possa entendê-los melhor e como criar um laço verdadeiro com eles em vez de se prender a padrões exaustivos de conflito ou retração.

Uso uma perspectiva de longo prazo sobre a criação dos filhos em vez de uma abordagem de dicas e truques. Meu interesse é a forma como nos relacionamos com nossos filhos em vez de como os manipulamos. Neste livro, incentivo você a olhar para suas próprias experiências de infância para que possa passar adiante as coisas boas que recebeu em sua criação e abandonar os aspectos menos benéficos. Vou analisar como podemos tornar todas as nossas relações melhores e mais positivas para nossos filhos crescerem. Vou explicar como nossas atitudes na gestação podem exercer uma influência sobre nossos futuros laços com nossos filhos, e como agir com filhos bebês, crianças, adolescentes ou adultos para poder criar uma relação que seja uma fonte de força para eles e de satisfação para você. E, ao longo do caminho, enfrentar muito menos batalhas para vestir, dar comida, dar banho e colocar para dormir.

Este livro é feito para os pais que não apenas amam seus filhos, mas querem gostar deles também.

1. Nosso legado como pais

O clichê é verdade: as crianças não fazem o que falamos; fazem o que fazemos. Antes mesmo de pensar sobre o comportamento de nossos filhos, é útil — fundamental, até — analisar seus primeiros modelos de comportamento. E um deles é você.

Esta seção é apenas sobre você, porque você vai exercer uma grande influência sobre seus filhos. Aqui, vou dar exemplos de como o passado pode afetar o presente quando se trata da sua relação com seus filhos. Vou falar sobre como os filhos podem muitas vezes despertar velhos sentimentos em nós, que então cometemos o erro de descontar em nossa relação com eles. Também vou analisar a importância de examinar o crítico que existe dentro de nós, para não transmitirmos seus efeitos prejudiciais para a próxima geração.

O PASSADO VOLTA PARA NOS ASSOMBRAR (E ASSOMBRAR NOSSOS FILHOS)

Filhos precisam de afeto e aceitação, de contato físico, da presença física dos pais, de amor com limites, de compreensão, de brincadeiras com pessoas de todas as idades, de experiências relaxantes, e de muita atenção e tempo dos pais. Ah, então é simples: o livro pode parar por aqui. Só que não, porque existem coisas que atrapalham. A sua vida pode atrapalhar: as circunstâncias, a creche, o dinheiro, a escola, o trabalho, a falta de tempo e estar sempre ocupado... e não só isso, como você bem sabe.

No entanto, o que pode atrapalhar mais do que tudo é o que nos foi passado quando éramos bebês e crianças. Se não analisarmos a forma como fomos criados e o legado deixado para nós, isso pode voltar para nos assombrar. Você pode se pegar dizendo algo como: "Abri a boca e saíram as palavras da minha mãe". Claro, se foram palavras que fizeram você se sentir uma criança querida, amada e segura, tudo bem. Mas, muitas vezes, foram palavras que produziram o efeito contrário.

O que pode atrapalhar são coisas como nossa falta de confiança, nosso pessimismo, nossas defesas, que bloqueiam nossos sentimentos, e nosso medo de ser dominados por nossos sentimentos. Ou, no que diz respeito especificamente a nossos filhos, pode ser o que nos irrita neles, nossas expectativas ou nossos medos em relação ao seu futuro. Somos apenas um elo em uma corrente que se estende desde milênios atrás até sabe-se lá quando.

A boa notícia é que você pode aprender a reformular seu elo, e isso vai melhorar a vida de seus filhos e dos filhos deles, e pode começar a ser feito agora. Você não precisa repetir tudo o que foi feito em sua criação; pode se livrar das coisas que não forem benéficas. Se você tem ou está para ter filhos, pode relembrar sua própria infância, examinar o que lhe aconteceu, como se sentia em relação a isso na época, como se sente agora e, depois de uma boa análise, guardar apenas aquilo de que precisa.

Se, durante a sua infância, você quase sempre desfrutava de um tratamento respeitoso como um indivíduo único e valioso, recebia amor incondicional, uma boa dose de atenção positiva e mantinha relações estimulantes com seus familiares, então encontrará um guia para desenvolver relações positivas e funcionais. Isso, por sua vez, mostra que você é capaz de contribuir positivamente para sua família e sua comunidade. Se esse for o caso, é improvável que o exercício de examinar sua infância seja muito doloroso.

Se você não teve uma infância assim — e esse é o caso da maioria das pessoas —, analisá-la pode trazer um certo incômodo emocional. Acho necessário nos tornarmos mais conscientes desse incômodo para que possamos encontrar formas de impedir que seja passado adiante. Grande parte do que herdamos fica fora de nossa consciência. Isso às vezes torna difícil saber se estamos reagindo ao aqui e agora do comportamento de nossos filhos ou se nossas reações estão mais enraizadas no passado.

Acredito que a história a seguir vai ajudar a ilustrar o que quero dizer. Ela me foi contada por Tay, uma mãe afetuosa e psicoterapeuta experiente que dá aulas para outros psicoterapeutas. Menciono esses dois papéis que ela exerce na vida para deixar claro que até a pessoa mais autoconsciente e bem-intencionada pode cometer um lapso temporal e se pegar reagindo ao passado em vez de reagir ao que está acontecendo no presente. A história começa quando a filha de Tay, Emily, que tinha quase sete anos, gritou para a mãe que estava presa em um trepa-trepa e precisava de ajuda para sair.

> Falei para que descesse e, quando ela disse que não conseguia, de repente fiquei furiosa. Achei que ela estava sendo

ridícula — era perfeitamente capaz de descer sozinha. Gritei: "Desce agora!".

Ela acabou descendo depois de um tempo. Tentou segurar minha mão, mas eu ainda estava com raiva e disse não, e então ela começou a chorar.

Depois que chegamos em casa e tomamos chá juntas, ela se acalmou e deixei a história toda de lado, pensando comigo mesma: "Nossa, as crianças podem ser um saco às vezes".

Uma semana depois: estávamos no zoológico e lá havia outro trepa-trepa. Ao olhar para o brinquedo, senti uma pontada de culpa. Ficou óbvio que isso também fez Emily se lembrar da semana anterior, porque ela ergueu os olhos para mim quase com medo.

Perguntei se ela queria brincar. Dessa vez, em vez de ficar sentada olhando o celular, fiquei perto do brinquedo e a observei. Quando ela achava que tinha ficado presa, estendia os braços para pedir ajuda. Mas, dessa vez, tentei incentivar mais. Fiquei falando: "Coloca um pé ali e outro lá e segura aquilo e você vai conseguir sozinha". E ela conseguiu.

Depois que ela desceu, perguntou: "Por que você não me ajudou da outra vez?".

Pensei e respondi: "Quando eu era pequena, a vovó me tratava feito uma princesa e vivia me carregando de um lado para o outro, me falando para 'tomar cuidado'. Isso me fazia me sentir incapaz de fazer qualquer coisa sozinha e acabei sem autoconfiança. Não quero que isso aconteça com você, e é por isso que não quis ajudar quando pediu para ser tirada do brinquedo na semana passada. E isso me lembrou de quando eu tinha a sua idade, quando não podia descer por conta própria. Fui dominada pela raiva e acabei descontando em você, e isso não foi justo".

Emily ergueu os olhos para mim e disse: "Ah, pensei que você não estava nem aí".

"Ah, não", eu disse. "Eu me importo, sim, mas naquela hora não entendi que estava brava com a vovó, e não com você. Me desculpa."

Assim como Tay, é fácil tirar conclusões automáticas ou precipitadas sobre nossas reações emocionais sem considerar que podem ter mais a ver com coisas em nossa própria história que estão sendo revividas do que com o que está acontecendo no momento.

Mas, quando você sente raiva — ou qualquer outra emoção difícil, incluindo ressentimento, frustração, inveja, repulsa, pânico, irritação, pavor, medo etc. — em resposta a algo que um filho fez ou pediu, pode ser bom pensar nisso como um alerta. Não um alerta de que a criança necessariamente esteja fazendo algo de errado, mas sim de que seus próprios gatilhos emocionais estão sendo disparados.

Em geral, o padrão funciona da seguinte forma: quando você reage com raiva ou algum outro sentimento exaltado a alguma demanda da criança, é porque essa é a forma como aprendeu a se defender de sentir o que sentia nessa idade. O comportamento de seus filhos ameaça despertar suas próprias sensações inconscientes de desespero, desejo, solidão, ciúme ou carência do passado. Assim, sem perceber, você escolhe a opção mais fácil: em vez de mostrar empatia pelo que a criança está sentindo, entra em um curto-circuito de raiva, frustração ou pânico.

Às vezes, os sentimentos desencadeados pelo passado datam de mais de uma geração. Minha mãe costumava achar irritantes os gritos de crianças brincando. Notei que eu também entrava em um certo estado de alerta quando a minha filha e seus amigos estavam fazendo barulho, embora eles estivessem se divertindo de uma forma bem controlada. Quis entender melhor, então perguntei para a minha mãe o que aconteceria se ela fizesse barulho enquanto brincava quando era criança. Ela me contou que seu pai — meu avô — tinha mais de cinquenta anos quando teve filhos, e sofria de dores de cabeça terríveis, e todas as crianças tinham de andar na ponta dos pés em casa ou levavam bronca.

Talvez você tenha medo de admitir que às vezes sua irritação com seu filho acaba sendo inevitável, imaginando que isso vá intensificar aqueles sentimentos de raiva ou torná-los mais reais de alguma forma. Na realidade, porém, nomear nossos sentimentos inconvenientes para nós mesmos e encontrar uma narrativa alternativa para eles — uma em que não responsabilizamos as crianças — significa que não vamos julgá-las por terem de alguma forma desencadeado essas emoções. Se você conseguir fazer isso, será menos provável que desconte esse sentimento em seus filhos. Você nem sempre vai conseguir relembrar uma história que explique o que está sentindo, mas isso não significa que não exista uma, e ter isso em mente pode ajudar.

Um problema pode ser que, na infância, as pessoas que nos amavam nem sempre demonstravam apenas apreço por nós. Elas também podiam nos achar irritantes, difíceis, decepcionantes, desimportantes, incômodos, estabanados ou bobos em algum momento. Quando o comportamento dos seus filhos desperta essa lembrança, seu gatilho dispara, e você acaba gritando ou expressando qualquer que seja seu comportamento negativo habitual.

Não há dúvida de que pode ser difícil para nós virarmos pais. Da noite para o dia, os filhos se tornam a prioridade que mais exige de nós, 24 horas por dia, sete dias por semana. Ter um filho pode fazer você finalmente se dar conta do trabalho que seus pais tiveram, talvez até os valorizar mais, se identificar mais ou sentir mais compaixão por eles. Mas é preciso se identificar com seus filhos também. O tempo passado contemplando como você pode ter se sentido quando era bebê ou criança por volta da idade dos seus filhos vai ajudar você a desenvolver empatia por eles. Isso vai ajudar a entender e sentir o que eles sentem quando se comportam de uma forma que lhe desagrada.

Eu tive um paciente, Oskar, que havia adotado um menininho de um ano e meio. Toda vez que o filho derrubava comida no chão, ou deixava comida no prato, Oskar sentia uma raiva subir dentro de si. Perguntei o que teria acontecido com ele quando criança se ele derrubasse ou não terminasse sua comida. Ele se lembrou de seu avô batendo em seus dedos com o cabo de uma faca e colocando-o em seguida para fora da cozinha. Depois que ele voltou a entrar em contato com a maneira como se sentia quando era tratado assim na infância, passou a ter compaixão por si mesmo quando bebê, o que por sua vez o ajudou a encontrar paciência para lidar com seu filho.

É fácil presumir que nossos sentimentos são relacionados à situação que se apresenta diante de nós, e não simplesmente uma reação ao que aconteceu no passado. Como exemplo, imagine que seu filho de quatro anos ganhou um monte de presentes de aniversário, e que você o chama de "mimado" com um tom de voz bem áspero porque ele não quis compartilhar um de seus brinquedos novos.

O que está acontecendo aqui? Obviamente, não é culpa da criança ter ganhado muitas coisas. Pode ser que, de forma inconsciente, você esteja supondo que ela não mereça tantas coisas, e sua irritação com isso escapa em um tom

23

ríspido, ou por esperar que alguém de quatro anos demonstre mais maturidade, o que não faz sentido.

Se você parar e olhar para trás, investigar sua irritação a respeito, o que pode descobrir é que sua própria criança interior de quatro anos ficou com inveja ou se tornou competitiva. Talvez, aos quatro anos, você tenha ouvido que deveria compartilhar algo que não queria dividir, ou simplesmente não ganhou tantas coisas e, para não se sentir triste por seu eu de quatro anos, descontou tudo na criança que estava ali à sua frente.

Isso me faz lembrar das mensagens de ódio e toda a atenção negativa que as pessoas públicas recebem de perfis anônimos nas redes sociais. Lendo nas entrelinhas, o que aquilo parece estar dizendo acima de tudo é: *Não é justo que você seja famosa e eu não*. Não é raro sentirmos inveja de nossos filhos. Caso se sinta assim, você precisa admitir e controlar esse sentimento, não assumir um comportamento negativo por causa disso. Nossos filhos não merecem essa negatividade da parte dos pais.

Ao longo deste livro, incluo exercícios que podem ajudar você a ter uma compreensão mais profunda do que estou dizendo. Se considerá-los desnecessários ou forem muito pesados para você, pode pulá-los, e talvez voltar quando se sentir mais à vontade.

Exercício: de onde vem esse sentimento?
Da próxima vez que sentir raiva de um filho (ou tiver qualquer outra reação muito exaltada), em vez de reagir sem pensar, pare e se pergunte: esse sentimento está inteiramente relacionado a esta situação e à criança no momento presente? Estou me impedindo de ver a situação do ponto de vista dela?

Uma boa maneira de se impedir de reagir é dizer: "Preciso de um tempo para pensar no que está acontecendo", e usar esse período para se acalmar. Mesmo se a criança precisar de alguma orientação, não há por que fazer isso com raiva. Se você der essa orientação assim, ela vai escutar apenas sua raiva, e não o que está tentando dizer.

Você pode fazer a seguinte variação deste exercício mesmo se ainda não tiver filhos. Apenas note a frequência com que experimenta sentimentos como nervosismo, presunção, indignação, pavor ou talvez vergonha, autodesprezo ou distanciamento. Procure padrões em suas reações. Lembre-se de quando se sentiu assim pela primeira vez, voltando até a infância, quando você começou a reagir dessa forma, e pode começar a entender em que grau essa reação se tornou um hábito. Em outras palavras, a reação se deve a um hábito seu ou à situação presente?

RUPTURA E REPARAÇÃO

Num mundo ideal, nós saberíamos como nos controlar e não expressar um sentimento de maneira inapropriada. Nunca gritaríamos com nossos filhos, nem os ameaçaríamos, nem os faríamos se sentirem mal em relação a si mesmos em nenhum aspecto. Claro, não é realista pensar que seríamos capazes de fazer isso o tempo todo. Veja o exemplo de Tay — ela é uma psicoterapeuta experiente e ainda assim agiu com raiva porque pensou que se tratava de um sentimento relacionado ao presente. No entanto, uma coisa que ela fez para amenizar a dor, e todos podemos aprender, se chama "ruptura e reparação". As rupturas — os momentos em que nos desentendemos, em que fazemos suposições erradas, em que magoamos alguém — são inevitáveis em toda relação relevante, íntima e familiar. A ruptura em si não é tão importante; é a reparação que importa.

Para fazer reparações em relacionamentos, em primeiro lugar é preciso se esforçar para mudar suas reações — ou seja, reconhecer seus gatilhos e usar esse conhecimento para reagir de uma outra forma. Ou, caso seus filhos tenham idade suficiente para entender, você pode usar palavras e pedir desculpas, como Tay fez com Emily. Mesmo se só perceber que agiu de maneira injusta com a criança muito tempo depois que aconteceu, você ainda assim pode falar onde errou. Pode ser muito importante para os filhos, mesmo depois de adultos, quando os pais fazem uma reparação. Veja a ideia que Emily estava guardando. A menina acreditou que Tay, em algum nível, não estava nem aí para ela. Que alívio foi descobrir que sua mãe se importava, sim, e estava apenas um pouco perdida.

Uma mãe um dia me perguntou se não era perigoso pedir desculpa aos filhos. "Mas eles não precisam que os pais estejam certos para se sentir seguros?", ela questionou. Não! As crianças precisam de pais sinceros e autênticos, não perfeitos.

Pense em sua infância: seus pais faziam você sentir algum mal-estar, ou alguma inadequação, ou mesmo alguma responsabilidade pelo mau humor deles? Se isso aconteceu com você, é facílimo tentar compensar sua sensação de inadequação fazendo outra pessoa se sentir inadequada, e as vítimas disso são, com muita frequência, nossos filhos.

Os instintos da criança vão avisá-la quando não estamos em sintonia com ela ou com a situação e, se fingirmos estar, vamos enfraquecer esses instintos. Por exemplo, se fingirmos que nunca estamos errados, o resultado pode ser uma criança adaptável demais — não apenas ao que você diz, mas ao que qualquer um possa vir a dizer. Isso pode torná-la, por exemplo, mais vulnerável a pessoas mal-intencionadas. O instinto é um componente importante de habilidades como confiança, competência e inteligência, por isso é uma boa ideia não prejudicar nem deturpar os instintos de seus filhos.

Conheci Mark quando, por sugestão de sua esposa, Toni, ele foi a um seminário sobre criação de filhos que eu estava ministrando. Na época, o filho deles, Toby, tinha por volta de dois anos. Mark me contou que ele e a esposa haviam concordado em não ter filhos, mas, aos quarenta, Toni mudou de ideia. Depois de um ano tentando e mais um ano de fertilização in vitro, ela engravidou.

Considerando o trabalho que tivemos para chegar lá, me surpreende agora, quando me lembro, como minha ideia sobre a vida com um bebê era deturpada. Acho que minha visão sobre ter filhos veio da televisão, em que o bebê fica dormindo milagrosamente no berço e quase nunca chora.

Quando Toby nasceu, a realidade de não ter mais nenhuma espontaneidade ou flexibilidade, do tédio de um bebê, de um de nós ter de estar sempre cuidando dele o tempo todo, fez com que eu alternasse entre me sentir ressentido ou deprimido ou as duas coisas.

Dois anos depois, ainda não aproveito minha vida. Eu e Toni quase não conversamos sobre nada além de Toby e, se tento falar sobre alguma outra coisa, o assunto volta a ele em questão de um minuto. Sei que estou sendo egoísta, mas isso não me impede de me sentir pisando em ovos. Não me vejo mais vivendo com Toni e Toby por muito tempo, para ser sincero.

Pedi a Mark que me contasse da sua infância. Tudo que ele conseguiu dizer era que não estava muito interessado em explorar esse assunto comigo, pois tinha sido completamente normal. Como terapeuta, entendi essa falta de interesse como um sinal de que ele queria se distanciar de seus primeiros anos de vida. Desconfiei que ser pai estava despertando nele sentimentos dos quais ele queria fugir.

Perguntei a Mark o que "normal" queria dizer. Ele me contou que seu pai saiu de casa quando ele tinha três anos e que, ao longo do tempo, as visitas do pai foram ficando cada vez menos frequentes. Mark estava certo: essa é mesmo uma infância normal. No entanto, isso não significa que o desaparecimento do pai não importasse para ele.

Perguntei a Mark como ele se sentiu em relação ao abandono paterno, e ele não conseguia se lembrar. Sugeri que talvez fosse uma recordação dolorosa demais. E que talvez fosse mais fácil agir como seu pai e abandonar Toni e Toby, porque dessa forma não teria que destrancar sua própria caixa de emoções difíceis. Falei que achava importante que ele destrancasse e abrisse essa caixa porque, caso contrário, não seria sensível às necessidades do filho e repassaria para Toby o que tinha vivido. Pela resposta que recebi, não deu para ter certeza se ele havia entendido o que eu estava querendo dizer.

Só voltei a ver Mark seis meses depois, em outro seminário. Ele me contou que vinha se sentindo deprimido e, em vez de simplesmente ignorar isso, tinha decidido começar a fazer terapia. Para sua surpresa, relatou que acabou chorando e gritando no consultório por ter sido abandonado pelo pai.

A terapia me ajudou a colocar os sentimentos onde eles precisam estar — no abandono do meu pai, e não em pensar que simplesmente não fui feito para estar nesse relacionamento ou para ser pai.

Não que eu não me sinta entediado, ou mesmo ressentido às vezes, mas sei que esse ressentimento pertence ao meu passado. Sei que não está relacionado a Toby.

Consigo ver o motivo de toda a atenção que dedico a Toby agora; é para fazer com que ele se sinta bem, não apenas agora, mas no futuro. Eu e Toni o estamos enchendo de amor e, se tudo der certo, isso vai fazer com que ele tenha amor para dar quando for mais velho, para se sentir valorizado. Eu não tenho um relacionamento com o meu pai. Sei que Toby está tendo comigo uma coisa que não tive com meu pai, que estamos criando as bases de uma ótima relação.

Ver a razão do que estou fazendo transformou a maior parte do meu descontentamento em esperança e gratidão. Agora também me sinto mais próximo de Toni de novo. Estou mais interessado e mais presente com Toby agora, e isso liberou Toni para pensar em outras coisas além dele.

Mark reparou sua ruptura emocional com Toby — seu desejo de abandoná-lo — olhando para seu próprio passado a fim de entender o que estava acontecendo no presente. Dessa forma, conseguiu mudar sua atitude em relação ao filho. Era como se não conseguisse libertar o amor antes de libertar o sofrimento.

REPARAR O PASSADO

Um tempo atrás, uma futura mãe me perguntou qual seria minha principal sugestão para pais de primeira viagem. Falei que, qualquer que seja a idade dos filhos, é possível que eles façam você se lembrar fisicamente das emoções que sentia quando estava em um estágio parecido de seu desenvolvimento. Ela ficou olhando para mim, um pouco perplexa.

Cerca de um ano depois, com um bebê engatinhando aos seus pés, a mesma mãe me falou que não tinha entendido o que eu quis dizer na época. Mas não se esqueceu do que conversamos e, enquanto assumia seu novo papel, essas palavras tinham começado a fazer muito sentido e a ajudado a entender seu filho também. Você pode não se lembrar conscientemente de sua vida como bebê, mas em outros níveis sim, e ter filhos serve como uma recordação constante disso.

É comum os pais se afastarem dos filhos em uma idade muito parecida à que seus próprios pais deixaram de estar presentes em sua vida. Ou então os pais vão querer se distanciar emocionalmente quando os filhos tiverem a mesma idade em que eles se sentiam sozinhos. Mark é um exemplo clássico de alguém que não queria encarar os sentimentos que o filho estava despertando nele.

Talvez você queira fugir desses sentimentos, e dos seus filhos também, mas se fizer isso vai apenas passar adiante o seu sofrimento. Haverá muitas coisas boas que você vai transmitir também — todo o amor que recebeu —, mas o que não pode ser deixado como herança é o medo, o ódio, a solidão e o rancor. Em determinados momentos sentimos emoções desagradáveis em relação aos nossos filhos, assim como às vezes pode acontecer em relação a cônjuges, pais, amigos ou até a nós mesmos. Se admitir isso, vai ser menos provável que você puna essa pessoa inconscientemente pelo sentimento que ela lhe desperta.

Se, assim como Mark, você perceber que sua aversão à vida familiar se deve a um sentimento de exclusão, a explicação pode ser um certo isolamento na infância ou a sensação de não ter sido relevante na vida de um ou de ambos os pais. Às vezes esse ressentimento pode tomar a forma de um aparente tédio ou falta de conexão com os filhos. Alguns pais acham que estou exagerando quando uso palavras como "abandono" e "ressentimento". "Não tenho ressentimento em relação aos meus filhos", eles dizem. "Às vezes só quero ficar sozinha em paz, mas amo todos eles." Eu vejo o abandono como um espectro. No extremo mais grave, já o abandono real de se afastar fisicamente de toda a vida de seu filho, como o pai de Mark fez. Mas também considero abandono afastar uma criança que pede sua atenção ou não a ouvir direito quando, por exemplo, tenta mostrar um desenho (o que é, em determinado nível, uma tentativa de mostrar para você quem ela é).

Esse sentimento de querer afastar os filhos, de querer que eles durmam muito e brinquem de maneira independente antes de estarem preparados para isso só para não ocuparem seu tempo, pode surgir quando você tenta não sentir o que eles sentem por se tratar de um lembrete muito doloroso da sua própria infância. Por isso, você não consegue suprir as necessidades deles. É verdade que tentamos nos convencer que afastamos nossos filhos porque queremos desfrutar mais dos nossos outros interesses na vida, como trabalho, amigos e Netflix, mas nós somos os adultos nesse caso. Sabemos que esse estágio carente é apenas isso, um estágio, ao passo que o trabalho, os amigos e outras opções de lazer podem ser retomados quando essa pessoinha deixar de precisar tanto de nós.

É difícil encarar isso, impedir que a maneira como fomos tratados seja passada para a próxima geração. Precisamos observar como nos sentimos, depois refletir sobre isso, em vez de reagir com base em emoções que não entendemos direito. Admitir as vontades menos aceitáveis de querer agir — no caso de Mark, por exemplo, fugindo — também pode trazer sentimentos de vergonha. Quando isso acontece, tendemos a entrar na defensiva para não nos defrontarmos com esse sentimento. Se fizermos isso, não mudamos nada e passamos nossa disfunção para a geração seguinte. Mas a vergonha não mata. Quando nos damos conta do que está acontecendo, podemos transformar nossa vergonha em orgulho, porque notamos como nos sentimos compelidos a agir e nos tornamos conscientes do que precisamos mudar.

O que realmente importa é estar à vontade com seus filhos, fazer com que se sintam seguros e saibam que você quer estar com eles. As palavras que usamos são uma parte pequena disso; a parte maior é demonstrada por nosso afeto, nosso toque, nossa disposição e o respeito que demonstramos — por seus sentimentos, sua pessoa, suas opiniões e sua interpretação do mundo. Em outras palavras, precisamos mostrar o amor que sentimos por eles quando estão acordados, e não apenas quando estão dormindo quietinhos.

Se você sempre se pega desejando umas férias dos seus filhos, provavelmente precisa na verdade de umas férias dos sentimentos que eles despertam. Para que esses sentimentos assumam o controle, observe com compaixão suas lembranças de como era ser criança. Depois que conseguir fazer isso, você vai conseguir se identificar com a necessidade e o desejo que seus filhos sentem de estar com você. É importante, claro, conseguir uma babá de vez em quando e praticar alguma atividade adulta, mas preste atenção se o sentimento de querer uma pausa for excessivo e persistir na maior parte do tempo, depois tente se lembrar de como se sentia quando tinha a mesma idade que seus filhos têm agora.

Exercício: Olhar para trás com compaixão
Pergunte-se qual comportamento de seus filhos desperta as reações mais negativas em você. O que acontecia com você quando era criança e exibia o mesmo comportamento?

Exercício: Mensagem de suas memórias
Feche os olhos e lembre-se de sua lembrança mais antiga. Pode ser apenas uma imagem ou um sentimento, ou pode haver uma história. Qual é a emoção predominante em sua memória? Que relevância consegue extrair dessa recordação para determinar quem você é agora? Como isso influencia a maneira como você cria seus filhos? Lembre-se: se algo vier à tona neste exercício, como um medo de passar vergonha capaz de levar você a fazer de tudo para não admitir um erro, talvez à custa do bem-estar dos seus filhos, tenha orgulho por ter detectado isso, em vez de sentir que não vai suportar a vergonha ou ficar na defensiva e continuar com o mesmo comportamento de sempre diante desse sentimento.

COMO FALAR COM NÓS MESMOS

Como eu disse no início desta seção, as crianças fazem o que fazemos, e não o que falamos. Então, se você tiver o hábito de se cobrar demais e se repreender, é possível que seus filhos adotem esse mesmo comportamento prejudicial.

Uma das minhas lembranças mais antigas é da minha mãe se olhando no espelho e se enchendo de defeitos. Quando, anos depois, fiz exatamente a mesma coisa na frente da minha sempre atenta filha adolescente, ela me disse que não gostava quando eu fazia isso, e ao escutá-la lembrei que eu também não gostava.

Nossos padrões de personalidade e comportamento herdados costumam ficar aparentes na maneira como conversamos com nós mesmos, em especial na nossa voz crítica interior. Quase todos temos na cabeça um tipo de monólogo ou comentário contínuo com que estamos tão acostumados que sequer prestamos muita atenção. Mas essa voz pode ser um crítico interno severo. Talvez você se diga coisas como: "É por isso que ninguém gosta de mim", "Não dá para confiar em ninguém", "Sou um caso perdido", "Nunca consigo ser bom o bastante, é melhor eu desistir logo de uma vez", "Não sei fazer nada direito", "Nunca vou perder peso" ou "Não presto para nada". Tenha cuidado com essa conversa interior, porque não apenas vai servir como um guia importante na sua vida como também vai ter impacto na vida dos seus filhos, influenciando a forma como julgam a si mesmos e aos outros.

Além de ensinar seus filhos a fazer julgamentos prejudiciais, essa voz interna negativa ainda encontra maneiras de exacerbar tristezas, derrubar a nossa confiança e nos incutir um sentimento de inadequação generalizado. E há outro bom motivo para prestarmos atenção em como falamos com nós mesmos: ao que tudo indica, passamos nossas vozes internas para nossos filhos (assim como nossos hábitos visíveis). Se você quer que seus filhos tenham a capacidade de ser felizes, uma coisa que pode atrapalhar muito é sua autocrítica.

São nossas experiências da infância que nos transformam em adultos — é a principal maneira como os humanos se desenvolvem —, mas não é fácil deixá-las de lado. Pode ser difícil calar essa voz crítica interior, porém o que você pode fazer é notar quando está fazendo isso e se parabenizar por prestar atenção.

Elaine é mãe de dois filhos e trabalha como assistente de uma galeria de arte. Ela tem consciência de sua voz interior negativa:

Normalmente a questão é o fracasso. Que eu não deveria tentar algo porque não vai dar certo [...] vou me sair mal [...] vou passar vergonha. Então me convenço a não fazer as coisas. Depois me critico por não ser mais aventureira e não me esforçar. Digo a mim mesma que não insisto nas coisas, que sou superficial e não tenho nenhum interesse ou experiência real em nada. Só de falar isso para você agora, consigo ouvir a voz na minha cabeça dizendo: "É isso mesmo, é tudo verdade".

Eu me sinto culpada quando me pergunto de quem essa voz pode ter vindo, porque amo muito minha mãe. Eu sempre soube que ela me ama, sempre me senti amada. Mas minha mãe se preocupa muito, nunca se valorizou, tem muita negatividade. Ela pega pesado em relação a si mesma, desde sempre. Nunca consegue aceitar um elogio. Se eu falo: "Que lasanha deliciosa!", ela responde: "Sem sabor e com queijo demais".

De alguma forma, ela passou adiante essa energia não tão boa para mim e para as minhas irmãs. Ficamos remoendo nossos fracassos e os usamos para provar que não somos capazes e que é melhor nem perder tempo tentando dizer o contrário. Uma vez, tirei uma nota B em francês e parecia o fim do mundo.

Minha mãe tenta ser positiva, mas isso acaba sendo diminuído pelos comentários impensados. Na prova final do meu vestido de noiva, saí do provador e minha mãe mordeu o lábio, pareceu preocupada e disse: "Sim, sim, no dia, com as flores e o véu e tudo mais, vai ficar bom". De forma inconsciente, a ansiedade e as inseguranças dela podem derrubar as pessoas ao redor.

Apesar de uma voz crítica interior torturante, Elaine disse que sua mãe também acertou em muitas coisas — e longe de mim demonizá-la —, mas, assim como a maioria de nós, parecia não dar atenção à maneira como falava consigo mesma e, em especial, à forma como sua autocrítica excessiva poderia ser transmitida para as filhas.

Quando você nota como fala com seus filhos, isso lhe dá mais escolha de como escutar essa voz. Foi assim que Elaine aprendeu a lidar com sua voz crítica interior:

> Estou decidida a não passar isso para meus filhos. Não quero que eles tenham medo do fracasso. Isso é muito desanimador.
>
> Eu costumava discutir com o que a voz dizia, e sempre perdia (e, também, isso exigia muita energia e atenção). Recentemente, aprendi que a melhor maneira é não dar bola para a voz. Eu quase a trato como um colega difícil do trabalho, dizendo: "Bom, sua opinião é um direito seu".
>
> Tento fazer as coisas que essa voz crítica dentro de mim diz que não sou capaz de fazer. Eu me obrigo a enfrentar meus medos para não desestimular meus filhos, para mostrar a eles que errar não é tão ruim assim. Voltei a pintar, apesar de a voz me dizer para desistir. Em vez de julgar o que produzo, estou aprendendo a entender do que gosto naquilo e quais partes de cada pintura me agradam. Um efeito colateral inesperado foi uma confiança maior, não apenas em relação à pintura, mas à vida em geral.

Se organizarmos o que Elaine está fazendo em um processo, vai ficar assim:

1. Primeiro, reconheça a voz.
2. Não dê bola nem discuta com ela. Em vez disso, trate-a como uma presença indesejada, ouvindo o que ela disser, mas sem lhe dar razão, pensando, por exemplo, "Você tem direito à sua opinião".
3. Amplie sua zona de conforto. Fazer aquilo que sua voz crítica interior diz que você não consegue vai aumentar sua confiança. Isso é uma coisa concreta de que você pode se lembrar quando começar a duvidar de si.
4. Saber dos riscos de passar sua voz crítica interior para seus filhos vai lhe dar um incentivo a mais para se manter consciente a respeito dessa questão.

Exercício: Revele sua voz crítica interior

Mantenha um lápis e um caderno à mão e anote todos os pensamentos autocríticos que tiver ao longo do dia. Você se recorda de ter ouvido outras pessoas articularem essas mesmas críticas em relação a si mesmas no passado?

Pense em algo que queria fazer e nos passos que precisa dar para chegar lá. Agora, repare em como fala sobre isso dentro de sua cabeça. Você está falando algo para se refrear? Essa voz faz você se lembrar de outra pessoa?

BONS PAIS/ MAUS PAIS: A DESVANTAGEM DO JULGAMENTO

Somente o fato de estar lendo isto já revela que você quer criar seus filhos da melhor maneira possível. Uma coisa que impede isso é o julgamento, tanto em relação a si como aos outros. Minha preocupação é a forma como nos julgamos como pais.

Rótulos como "bons pais/ maus pais" não ajudam porque giram em torno de extremos. É impossível estar em perfeita sintonia com nossos filhos o tempo todo, e mesmo algumas boas intenções podem ter consequências prejudiciais. Mas, como não queremos ser julgados como "maus pais" quando cometemos erros (e isso acontece com todos), querer evitar esse rótulo nos faz fingir que não os cometemos.

Em parte por causa da existência desses rótulos de "boa mãe", "mau pai" ou vice-versa, para evitar a humilhação de estar no papel negativo, ficamos na defensiva em relação a tudo que possa revelar um erro nosso. Isso nos leva a não analisar nem observar os aspectos em que estamos fora de sintonia com nossos filhos ou negligenciando suas necessidades emocionais. Não pensamos em como melhorar nossa relação com eles. Da mesma forma, também podemos usar as coisas certas que fazemos para esconder as erradas e assim podermos nos vincular à identidade de "boa" mãe ou "bom" pai.

O medo de enfrentar eventuais equívocos também não ajuda em nada nossos filhos. Os erros — fingir que os sentimentos do nosso filho não têm valor, ou o que quer que estejamos fazendo de errado — passam a importar muito menos quando mudamos nosso comportamento e reparamos as rupturas na relação. Porém não temos como corrigir nada se tivermos vergonha demais para admitir nossos erros — e esse rótulo de "mau" aumenta ainda mais essa vergonha.

Vamos deixar de lado o "bom" e o "mau" como atributos para pais e mães. Ninguém é inteiramente santo ou pecador. Um pai rabugento e sincero (normalmente descrito como "mau") pode ser melhor do que um pai frustrado e rancoroso escondido atrás de uma fachada de doçura melo-

sa. E não para por aí. Assim como não deveríamos nos julgar, devemos tentar não julgar nossos filhos. Dá uma certa satisfação colocar algo em uma caixa, rotular e esquecer, mas isso não faz bem para nós e muito menos para a pessoa dentro da caixa. Não ajuda em nada julgar um filho como bom ou mau, nem o julgar pelo que quer que seja, porque é difícil crescer com a restrição de um rótulo: "a criança quieta", "a criança desajeitada", "a criança barulhenta"...
Os seres humanos mudam e crescem o tempo todo, especialmente os pequenos. É muito melhor descrever o que você vê e expressar aquilo que admira em vez de julgar. Sendo assim, diga: "Gostei de ver sua concentração enquanto fazia aquelas contas" em vez de "Você tem facilidade para a matemática". Diga: "Seu desenho me impressionou. Gostei da casa que parece estar sorrindo. Isso transmite felicidade". E não "Lindo desenho". Elogie o esforço, descreva o que você vê e sente e estimule seus filhos sem julgar. Descrever e encontrar algo específico para valorizar é muito mais estimulante do que um julgamento genérico como "Ótimo trabalho" e muito, muito mais benéfico do que uma crítica. Se toda a página escrita estiver um caos, mas a letra P estiver traçada com perfeição, tudo que você precisa é dizer: "Gostei de como você caprichou nesse P". Com sorte, da próxima vez, você vai gostar de outra letra também.

Exercício: Chega de julgar
Em vez de julgar o que faz, observe e valorize aquilo que você acertou. Note a diferença na maneira como se sente depois disso. Por exemplo, em vez de dizer ou pensar algo como "Eu faço um ótimo pão", tente "Me concentrar nos meus pães está valendo a pena". Em vez de: "Sou péssimo em ioga", tente "Comecei a fazer a ioga e já melhorei desde a se-

mana passada". Não são tanto as palavras que importam — não estou proibindo terminantemente o uso de "bom" ou "mau" —, e sim suspender o julgamento, ou encarar nossas próprias conclusões com mais leveza. Isso vai causar menos mal a nós mesmos e aos nossos filhos.

Comecei este livro falando sobre seu comportamento em vez de me concentrar em seus filhos porque o que torna uma criança o indivíduo único que é (ou vai ser, se ainda não tiver nascido) é uma combinação singular de fatores genéticos e ambientais, e você é uma parte fundamental do ambiente do qual seus filhos farão parte.

A forma como nos sentimos em relação a nós mesmos e a responsabilidade que assumimos pelas nossas reações aos nossos filhos são aspectos importantes da educação que são muitas vezes negligenciados porque é muito mais fácil nos concentrarmos nas crianças e nos comportamentos delas em vez de examinar como elas nos afetam e, por nossa vez, como nós as afetamos. E não é apenas a maneira como reagimos às crianças que molda seus traços de personalidade e seu caráter, mas também o que elas veem e sentem em seu ambiente.

Espero ter convencido você a examinar como reage aos sentimentos que seus filhos lhe despertam. Precisamos prestar atenção na maneira como falamos conosco, tomando cuidado com nossa voz crítica interior. E devemos julgar menos — tanto nós mesmos e nossa forma de educar como também nossos filhos.

2. O ambiente dos seus filhos

Pouco tempo atrás, um psicólogo me contou uma história sobre seu trabalho com uma família de refugiados. Ele estava tentando criar empatia por aquelas pessoas e entender como era não ter um lar permanente. Uma das crianças interveio: "Ah, nós temos um lar, só não temos onde colocá-lo ainda".

Fiquei comovida quando ouvi esse comentário. Ele resume bem como o amor e os cuidados familiares podem servir como uma rede de segurança, algo de que todos precisamos na vida. Sendo assim, o que podemos fazer para que as relações que formam uma família sejam como uma espécie de santuário? É isso que vou analisar nesta seção: como criar um ambiente familiar benéfico para que as crianças se desenvolvam.

O QUE IMPORTA NÃO É A ESTRUTURA FAMILIAR, MAS COMO NOS RELACIONAMOS

Você e as pessoas que moram em sua casa são o ambiente em que os seus filhos estão inseridos. Como eles vão se sentir em relação a si mesmos e interagir com os outros se baseia em grande parte na relação dos seus filhos com você e com o pequeno círculo ao seu redor. Isso inclui um cônjuge, se você tiver um, os irmãos, os avós, os empregados e os amigos mais íntimos.

É importante ter consciência de como nos comportamos nessas relações. Por exemplo, nós demonstramos respeito pelas pessoas mais próximas ou descontamos nossa raiva nelas? Essas relações familiares influenciam o desenvolvimento da personalidade e da saúde mental de uma criança. As crianças são indivíduos, mas também fazem parte de todo um sistema. Além das relações da família imediata, o sistema de uma criança também inclui a escola, suas outras amizades e o ambiente cultural como um todo. Faz sentido analisar esse sistema e fazer o possível para torná-lo o melhor ambiente possível para você e seus filhos. Ele não precisa ser perfeito — afinal, nada é.

A estrutura familiar não importa, o que é uma boa notícia caso você não esteja em uma família nuclear. O formato pode ser convencional ou não convencional, como queira; os pais podem morar juntos ou separados, em uma comunidade ou a três, podem ser gays, heterossexuais, bissexuais — não importa. Pesquisas mostram que a estrutura familiar em si exerce pouco efeito sobre o desenvolvimento cognitivo ou emocional dos filhos, tanto que mais de 25% das crianças crescem em lares monoparentais no Reino Unido, nos quais cerca de metade desses pais solo estava em um relacionamento na época do nascimento do filho, e essas crianças não se dão melhor nem pior do que outras criadas em uma configuração mais convencional, quando fatores como situação financeira e educação dos pais são levados em consideração.

As pessoas que fazem parte da vida de uma criança compõem o seu mundo. Pode ser um mundo de amor e prosperidade, mas também um campo de batalha. Um fator mais importante do que a maioria dos adultos imagina é que a vida em família não pode tender demais para o lado do campo de batalha. Se as crianças se sentirem apreensivas, se estiverem preocupadas com sua segurança, proteção e pertencimento, não vão se sentir livres para desenvolver sua curiosidade sobre o mundo como um todo. A falta de curiosidade, por sua vez, causa um impacto negativo sobre a concentração e o aprendizado.

Em uma pesquisa, adolescentes e pais foram questionados se concordam ou discordam da seguinte frase: "Os pais se darem bem é um dos fatores mais importantes para a criação de filhos felizes". Entre os adolescentes, 70% concordaram, em comparação com apenas 33% dos pais.

Isso pode se dever ao fato de que o sofrimento emocional dos filhos com os relacionamentos disfuncionais de seus pais e responsáveis não é visível para os adultos. Talvez você saiba como é difícil para os pais ver os filhos sofrendo. Sendo assim, torna-se ainda mais duro constatar como as suas próprias ações podem ter contribuído para essa dor.

Talvez você tenha justificativas para sua forma de agir, ou não saiba como mudar seu comportamento. Pode parecer intimidante ou mesmo assustador analisar suas relações com companheiros e outros membros próximos da família, mas nesta parte do livro espero poder contribuir com algumas ideias de como melhorar nesse aspecto, caso seja necessário.

QUANDO OS PAIS NÃO ESTÃO JUNTOS

Mesmo se você não morar com o pai ou a mãe de seus filhos, o importante é se referir a ele ou ela de maneira respeitosa, reconhecendo seus pontos positivos, em vez de sempre destacar seus defeitos. Sei que isso pode parecer impossível para algumas pessoas, ainda mais depois de um rompimento complicado. Mas talvez se torne mais fácil se eu disser como isso é importante para a criança: ela se vê como uma parte integrante de cada um de vocês. Se uma metade da parceria que a trouxe à vida é sempre citada como uma pessoa "ruim", a criança muitas vezes internaliza essas palavras de tal maneira que também passa a se ver como uma pessoa "ruim". Além disso, pode ficar dividida pela pressão de ser leal aos dois.

Então qual é a melhor maneira de negociar uma separação? A criança vai se sair melhor no futuro se seus pais cooperarem entre si e tiverem uma boa comunicação, e se continuar a ter contato regular com ambos. Se isso for possível, a probabilidade de seus filhos se tornarem deprimidos ou agressivos vai ser menor. Quanto à relação da criança com o pai ou a mãe que não mora em casa, tudo também funciona melhor se houver uma comunicação clara e positiva entre os pais. Se o pai se afastar depois da separação, a criança tem mais possibilidade de sofrer angústia, raiva, depressão e baixa autoestima. Por isso, é muito preocupante que, no Reino Unido, mais de um quarto das crianças cujos pais se separaram não tenha contato com o pai três anos depois do acontecido.

Entendo que nem sempre é possível se dar bem com um ex, como a história a seguir demonstra. Mel é mãe de um menino de seis anos, Noah. Manteve um relacionamento com o pai de Noah, James, por cinco anos. Eles moravam em países diferentes e não se viam como um casal comprometido, mas gostavam muito da companhia um do outro quando estavam juntos. A história de Mel pode parecer um caso extremo, mas qualquer pessoa que já se desentendeu com um ex sobre ter filhos pode se identificar.

Quando Mel engravidou, James achou que ela faria um aborto. Como isso não aconteceu, ele ficou furioso e tentou cortar relações. Paga uma pensão mínima, e só concordou em fazê-lo depois do procedimento humilhante de um teste de paternidade. Ele não quer ter nenhuma relação com Noah.

Quando falo com homens em uma situação semelhante à de James, o que costumo ouvir é que gostam de sua vida como está. Sentem-se ameaçados e assustados diante da possibilidade de mudanças caso admitam a importância de ter um dependente.

No entanto, um filho — que não é uma "coisa", mas sim uma nova pessoa em nossa vida, e que será dependente de nós por duas décadas — é mais do que um simples catalisador de uma mudança. Se analisarmos a criação de um filho sem egoísmo, veremos que é na verdade uma fonte de enriquecimento.

Além disso, a criança não deixa de existir apenas porque está sendo ignorada. Infelizmente, alguns homens (e mulheres) se distanciam dos filhos. Parecem pensar que, se fingirem que não têm nada a ver com os filhos, eles não existem de verdade. Por instinto, Mel soube que não deveria contar para Noah que o pai dele havia sido uma decepção, embora sentisse isso. Quando o menino pergunta sobre ele, ela se lembra dos muitos talentos e qualidades positivas do pai dele, e é isso o que passa para o filho. Se no futuro o pai de Noah quiser fazer parte da vida dele, o fato de Mel agir de maneira positiva a respeito vai ajudar nesse processo. Com Noah ficando mais velho e fazendo mais e mais perguntas, está ficando mais difícil para ela. Mel teme que o filho, quando souber a história inteira, leve o abandono do pai para o lado pessoal e acabe tendo sua autoestima prejudicada, distorcendo a maneira como vê o gênero masculino ou até permitindo que isso influencie negativamente seu comportamento na vida adulta.

Como Mel tem consciência dessas armadilhas, pode ajudar Noah a evitá-las, mas mesmo assim não há como garantir que em algum momento ele não se ressinta do fato de seu pai não estar presente. Às vezes, não existe uma prescrição para fazer tudo ficar bem. Mel tem muitos familiares e amigos amorosos e presentes, e sente que eles ajudam muito a preencher o vazio deixado pelo pai.

Contei a história de Mel porque nem sempre é fácil desenvolver uma relação tranquila e colaborativa com um ex. E, quando um dos dois não está presente, tudo que podemos fazer é dar nosso melhor para não criticar o pai ou a mãe de nossos filhos nem para eles, nem para nós mesmos.

COMO TORNAR A DOR MAIS SUPORTÁVEL

Queremos que a vida dos nossos filhos seja livre de dor e preocupação. Definitivamente não queremos que eles sofram porque não fomos felizes na escolha da pessoa com quem nos envolvemos ou porque existe conflito em nossas relações mais próximas. No entanto, é impossível protegê-los por completo. Não existe vida sem angústia, mistérios insondáveis, desejo e perda.

A maneira de tornar a dor mais suportável é estar ao lado deles quando isso acontecer. Você precisa estar presente, tanto para seus filhos como para as pessoas mais próximas; com uma postura acessível e acolhedora em relação ao que eles revelarem e sentirem. Mesmo que não tenha como resolver a causa do sofrimento, marcando sua presença, em vez de negar ou afastar a dor, você pode ser uma boa companhia enquanto eles passam por isso. E essa forma de sintonia torna tudo mais suportável. Vou falar mais sobre isso na parte sobre sentimentos (ver p. 57).

QUANDO OS PAIS ESTÃO JUNTOS

Se você estiver criando seus filhos junto com o pai ou a mãe deles, o amor, a disposição, o carinho e o respeito entre os dois vai contribuir para a sensação de segurança das crianças. No entanto, como qualquer pessoa que já teve filhos sabe, isso causa tensão no relacionamento. A espontaneidade pode se perder, o tempo a sós do casal ou com outras pessoas próximas pode diminuir, a possibilidade de tirar um instante só para si pode ser reduzida ou desaparecer completamente. A relação de um ou de outro com o sexo pode mudar, e as oportunidades para momentos de intimidade vão surgir com menos frequência. Os padrões de sono vão ser perturbados, e é provável que você tenha de aprender a sobreviver dormindo muito menos; cada membro de um casal, ou de uma família estendida, pode ter ideias diferentes sobre como educar crianças, e a dinâmica dentro das relações pode mudar. Seus hábitos profissionais vão mudar e, se você largar seu trabalho remunerado, isso também pode afetar sua autoimagem. Sua vida social também sofrerá transformações; pode haver menos ou nenhum contato com ex-colegas; alguns amigos podem parecer sumir por um tempo por causa da sua preocupação com o bebê; e assim por diante.

E essa está longe de ser uma lista completa. Todo casal precisa de um tempo para se acostumar com a transição dessa parceria para uma família. E, quando você pensa que se acostumou, tudo muda de novo, com a criança ou família continuando a crescer. Essas mudanças também podem contribuir para o ressentimento que vocês talvez sintam um pelo outro e pelos filhos. A propósito, é melhor admitir qualquer ressentimento, mesmo que apenas para si. Caso contrário, você corre mais risco de criar justificativas para os momentos em que age por conta desse sentimento, em vez de assumir a responsabilidade por suas ações e emoções.

A vida nunca é estática, e ser capaz de aceitar a mudança e trabalhar com ela é mais útil do que resistir. Pensar sobre como você se torna flexível pode ser mais efetivo do que tentar recuperar o que foi perdido. Isso não quer dizer que você não vá sentir falta de sua antiga vida às vezes. Significa que talvez precise tentar se render à vida nova e aceitá-la. Lembre-se de Mark, do capítulo anterior; ele se ressentia da forma como sua vida foi virada de cabeça para baixo quando deixou de fazer parte de um casal para se tornar parte de uma família de três pessoas, e começou a aceitar essa mudança quando encontrou a origem desse sentimento em sua própria infância e achou sentido em criar um filho, em vez de considerar isso como uma obrigação indesejada. Ele também descobriu que, ao aceitar a responsabilidade conjunta sobre o filho com a companheira, isso a liberou para ser mais como era antes em vez de se preocupar unicamente com o bebê.

COMO DISCUTIR E COMO NÃO DISCUTIR

A maioria das famílias discute — mas o que importa é a forma como vocês trabalham (ou não) e resolvem (ou não) os conflitos. As discordâncias por si só não são necessariamente prejudiciais à relação e, por consequência, ao ambiente dos seus filhos. Pessoas com parcerias bem-sucedidas e famílias funcionais discordam entre si e discutem. Isso é um fato. Mas, quando fazem isso, não deixam de respeitar e valorizar uma à outra, de reconhecer suas diferenças e de expressar seus sentimentos.

Agora vamos falar sobre os aspectos mais elementares de uma discussão. Em todo conflito, existe um contexto. É o motivo pelo qual vocês estão discutindo. É preciso levar em conta também como você se sente sobre o conflito e como a outra pessoa se sente sobre o conflito. E há também o processo, que é a forma de resolver o problema.

Para lidar com as diferenças, é importante saber como você se sente sobre o contexto e expressar seu sentimento. O passo seguinte é descobrir como a outra pessoa se sente sobre o contexto e levar os sentimentos dela em consideração. Se os sentimentos forem ignorados, ambos os lados podem ficar mais e mais inflamados, entrando em um jogo que chamo de "tênis de fatos", arremessando motivos um sobre o outro, e encontrando cada vez mais coisas para jogar para o outro lado. Nesse estilo de discussão, o objetivo do conflito passa a ser ganhar pontos, em vez de encontrar uma solução viável. Descobrir e trabalhar as diferenças é uma questão de compreensão e flexibilidade, não uma competição.

Vamos pegar uma discussão familiar típica, sobre a louça na pia. Lavar a louça é o contexto, depois vem o que as pessoas sentem a respeito. É assim que acontece quando o processo se torna um tênis de fatos:

SAQUE O problema é que, se você deixa a louça suja, a comida endurece e fica mais difícil lavar, então lave na hora. *15-0*

DEVOLUÇÃO Eu economizo tempo se deixar a louça acumular durante o dia e lavar tudo de uma vez depois. *15-15*

SAQUE É anti-higiênico deixar a louça suja na pia. *30-15*

DEVOLUÇÃO Todas as bactérias acumuladas vão morrer quando eu lavar depois. *30-30*

SAQUE A louça suja atrai moscas. *40-30*

DEVOLUÇÃO É inverno. Não tem nenhuma mosca perto da pia. *40 iguais*

E por aí vai. Quando uma pessoa fica sem argumentos depois de um tempo e pensa ter "perdido" a discussão, não sente nenhum amor ou carinho pelo oponente. E se o "vencedor" se sente bem, é à custa da outra parte.

Outro estilo que as pessoas usam para lidar com as diferenças e os conflitos é o que chamo de "Olha, um bicho!", ou distração. É quando, em vez de conversar sobre o que está incomodando, você muda de assunto. Nesse caso, você vê que a louça ainda não foi lavada, mas, em vez de resolver esse problema, fala ou faz outra coisa. Isso pode ser bom — pode ser melhor deixar para falar sobre um assunto mais tarde —, porém não é saudável evitar todas as desavenças. Se todos os conflitos forem evitados, o que tende a acontecer é que a intimidade também passa a ser evitada — afinal, quando muitos assuntos viram tabu, pisar em ovos pode tornar a vida a dois bem solitária.

Um terceiro estilo de discussão é se martirizar. Isso acontece, por exemplo, quando você diz ao chegar em casa:

"Não se preocupa com a louça, eu lavo". Infelizmente, a tendência em situações como essa é que o mártir, em vez de fazer com que todos se sintam culpados, acaba se ressentindo e culpando os demais, ou então se torna um perseguidor (ver a seguir) e começa a disparar insultos.

O perseguidor ataca: "Você é mesmo um porco por não lavar a louça. Sua falta de higiene é nojenta". Quem ouvir esse comentário vai querer responder ao ataque.

Nenhum desses quatro tipos de conflito contribui para uma boa atmosfera familiar. O conflito deixa os filhos em alerta, ameaça sua sensação de segurança e diminui sua capacidade de abertura e curiosidade em relação ao mundo. Em vez disso, sua energia e seu foco acabam entrando em uma espécie de modo de emergência.

Então qual é o jeito ideal de discutir? Ao resolver uma diferença, trabalhe com um problema de cada vez e pense no verdadeiro motivo da discussão. Não acumule suas queixas e as despeje de uma só vez sobre a outra pessoa. Comece explicando como o problema faz você se sentir, não partindo para o ataque, ou atribuindo culpa. Sendo assim, de volta à louça...

"Não gosto de chegar em casa depois de ter lavado a louça de manhã e ver mais louça na pia. Eu me sentiria muito melhor se você lavasse a louça durante o dia."

O estilo ideal não tem como objetivo vencer a discussão, e sim promover o entendimento. Uma resposta poderia ser: "Ah, desculpa, meu bem. Não queria que você se sentisse mal. Fiz tanta coisa hoje. Eu entendo que não é legal chegar em casa e ver isso". E a resposta seguinte poderia ser: "Sim, você faz muita coisa mesmo. Tudo bem. Que tal você lavar e eu secar?".

Uma boa regra geral nas discussões é usar frases que começam com "eu", e não "você", por exemplo: "Eu não me sinto bem quando você não me responde porque está no celular", em vez de "Você vive me ignorando quando está no celular". Poucas pessoas gostam de ser definidas ou classificadas — ainda mais negativamente — pelos outros. Se, em vez disso, você descrever seus sentimentos a respeito do que vê ou ouve, vai estar falando sobre si, o que torna mais fácil para a outra pessoa escutar.

Claro, não existe nenhuma forma de se queixar que sempre "funcione", ou seja, garanta que você consiga o que quer. Mas a harmonia familiar não é uma questão de manipulação, e sim de bons relacionamentos. Expressar abertamente o que você sente e deseja pode ajudar a manter boas relações, ao passo que manipular alguém não colabora em nada para uma boa sintonia.

Falar em termos de "eu", e não de "você", admitir seus sentimentos e reconhecer os sentimentos da outra pessoa costumam ser a melhor maneira de lidar com as diferenças inevitáveis que surgem nas famílias. Isso também vai ajudar seus filhos a se sentirem mais seguros, uma vez que diminui os ressentimentos e promove a compreensão. Assim também será mais provável que eles adotem esse estilo respeitoso e emocionalmente inteligente de discutir, uma vez que foi esse o exemplo que tiveram.

Um motivo comum de desentendimento é uma pessoa pensar que foi atacada de propósito, sendo que não foi. O exemplo a seguir aconteceu em uma família típica. (Vou chamá-la de família Herança.)

> Jonny, um estudante de 22 anos, está olhando a jaqueta de couro velha do pai. Ele diz: "Você está com sessenta, pai, nunca vai usar isso de novo. Posso ficar com ela?".
> Keith, um professor, teve um péssimo dia tentando entender a geração de seu filho no trabalho, por isso está se sen-

tindo velho. Keith levanta a voz e diz: "Você não consegue nem me esperar morrer para querer pegar as minhas coisas?".

Jonny sente que a reação hostil foi a troco de nada, e se sente atacado. "Caramba, só fiz uma pergunta. Por que você vive me atacando?"

"Eu não estou te atacando, mas não gosto de ser tratado como se já estivesse morto."

Não é uma desavença séria, e tenho quase certeza de que Keith acabaria atirando a jaqueta para Jonny e dizendo: "Fica com ela, então", e Jonny diria: "Agora não quero. Você vai precisar de alguma coisa para usar no caixão", e os dois vão rir, e vai se estabelecer uma trégua. Mas, se eles não entenderem o que aconteceu, os dois vão continuar a se sentir um pouco magoados, e um problema parecido pode voltar a ocorrer.

Então, vamos ver o que realmente estava acontecendo fingindo que existe um mediador sensato com eles.

"Ele quer me ver morto", diz Keith.

"Não, não quero isso, só quero a jaqueta", diz Jonny.

"Dá no mesmo", diz Keith, percebendo na hora que não é a mesma coisa.

O mediador diz: "Não dá no mesmo, mas, hoje, para você, Keith, parece ser a mesma coisa — e Jonny não tem como saber disso. Você, Keith, se sentiu atacado. Como Jonny não sabia que você tinha se sentido atacado, achou que a sua retaliação veio do nada, então ele contra-atacou".

"Isso com certeza é verdade no meu caso", Jonny diz.

Keith fica em silêncio, então o mediador diz: "Só porque você se sentiu atacado, não quer dizer que tenha sido".

"Ele me chamou de sessentão!", Keith responde, na defensiva.

Mediador: "Sim, ele estava escondendo os sentimentos dele atrás de um fato, um hábito que aprendeu depois de tantos 'tênis de fatos' que presenciou desde que nasceu. Continuando, parece que você acha difícil aceitar que tem sessenta anos. Então gostaria de se apegar a símbolos da sua juventude, como aquela jaqueta de couro. Não é vergonha nenhuma, e pode dizer isso se for verdade".

Uma nova versão da conversa poderia ser assim:

"Adoro a sua jaqueta de couro. Posso ficar com ela?"
"Preciso de um tempo para pensar... Entendo que você queira, mas não estou pronto para me desfazer dela ainda. É verdade que talvez eu nunca use de novo, mas preciso de um tempo para me acostumar com a ideia de ter a idade que tenho. E, enquanto isso, guardar minhas roupas da juventude é um consolo para mim."
"Desculpa pelo meu pedido ter feito você se lembrar de que tem sessenta anos."
"Ah, não se preocupa, eu preciso lembrar. Estou me sentindo velho porque não entendo o que alguns dos meus alunos falam."
"Como o quê?"
"Faz pouco tempo que entendi o que é rede social, mas o que eles querem dizer quando falam *match* ou *crush*?
"Vem aqui, deixa que eu te mostro..."

Exercício: Desmembre uma discussão

Pense na última discussão que você teve com um ente querido. Sem se ater a quem estava certo ou errado, desmembre o que aconteceu como fiz no exemplo entre Jonny e Keith. Depois, também como no exemplo, crie uma perspectiva externa para ver a situação e analisar os sentimentos de cada protagonista. Em seguida, represente o papel de um mediador sensato e pense em como mudar o diálogo na discussão e como ele poderia ser melhorado.

Aqui vai uma lista rápida do que lembrar quando estiver falando sobre um assunto delicado ou quando se irritar ou achar que uma discussão está para começar:

1. Reconheça seus sentimentos e considere os sentimentos da outra pessoa. Isso não significa se ver como o "certo" e a outra pessoa como a "errada", ou se ver como o "inteligente" e a outra como "idiota". Nada desgasta mais uma relação ou uma família do que as pessoas insistirem em ter razão. Em vez de pensar em termos de "certo" e "errado", pense em termos de como cada um de vocês se sente.

2. Defina a si, e não ao outro, portanto fale frases que começam com "eu", e não "você".

3. Não reaja, reflita. Você nem sempre precisa refletir antes de reagir — não estou defendendo que perca toda e qualquer espontaneidade —, mas, em momentos de irritação ou raiva, acho que é uma boa ideia fazer uma pausa para entender o motivo. Se Keith tivesse feito isso no nosso exemplo, teria percebido que a raiva que sentiu quando Jonny pediu a jaqueta não era em relação ao filho.

4. Aceite sua vulnerabilidade, em vez de temê-la. No nosso exemplo, Keith também teria entendido que estava com medo de envelhecer e estava prestes a mascarar esse medo com raiva, em vez de assumir que esse assunto o deixava vulnerável. Mas é aceitando a nossa vul-

nerabilidade, sendo sinceros sobre quem somos, que podemos ter relações próximas.

5. Não presuma a intenção da outra pessoa. Sem inferir demais nem se projetar no outro, tente descobrir o que ele está sentindo, e admita caso tenha entendido mal. Entender seus próprios sentimentos e os da pessoa com quem está lidando não é apenas a base das boas negociações, mas também o alicerce de relacionamentos funcionais e da educação com empatia. Nunca é tarde demais para começar essa forma de interação.

Aprendi que, quando os pais conseguem fazer tudo isso, a forma como se relacionam costuma melhorar rapidamente.

COMO ESTIMULAR A BOA VONTADE

Em um casal ou uma família, ter a capacidade de levar em conta os sentimentos do outro exige uma boa dose de boa vontade. Caso sinta que a sua está chegando ao fim, você precisa reforçá-la.

Então, o que estimula a boa vontade? Existem duas maneiras básicas de fazer isso: (1) responder a solicitações de contato ou atenção e (2) encontrar consolo no outro em vez de vê-lo como um adversário dentro da família. Em outras palavras, cooperação e colaboração em vez de competição.

Quando o psicólogo John Gottman e seu colega Robert Levenson fundaram o que batizaram de Love Lab [Laboratório do Amor] na Universidade de Washington, em 1986, um de seus experimentos foi pedir aos casais que falassem sobre seu relacionamento: discorrer sobre uma discussão que tiveram, contar sobre como se conheceram e relatar uma lembrança positiva que guardavam.

Durante essas conversas, os casais estavam conectados a aparelhos que conseguiam medir seus níveis de estresse.

Aparentemente estavam todos calmos, porém os resultados do teste de estresse revelaram algo bem diferente. Apenas alguns dos casais tinham de fato se mantido tranquilos. Os demais sofreram elevação na frequência cardíaca, transpiraram muito e, em geral, exibiram sinais reativos de confronto ou fuga.

Mas a grande revelação veio seis anos depois, na sessão de acompanhamento. Todos os casais com alto nível de estresse haviam se separado ou, se ainda estavam juntos, mantinham uma relação disfuncional. Gottman denominou esses casais como "desastres". Aqueles que não demonstraram nenhum estresse durante a entrevista inicial, ele batizou de "mestres".

Segundo os dados, cada um dos "desastres" via o outro como uma espécie de ameaça — mais como um adversário do que como um amigo. Gottman estudou milhares de casais por um longo período e verificou que, quanto mais altos os indicadores de estresse, mais perto eles estavam de serem "desastres" e mais provável se tornava que se separassem ou desenvolvessem uma parceria disfuncional.

Então o que essas descobertas significam? Quanto maior o estresse ou sensação de ameaça você sente na companhia de seu parceiro ou sua parceira, mais provável se torna que acabe agindo com hostilidade ou frieza. Quanto mais seu relacionamento se baseia em tirar vantagem, em ganhar ou perder, em ter razão, mais provável se torna que sinta hostilidade em vez de boa vontade por seu companheiro ou companheira. Pode ser um círculo vicioso no relacionamento. A ideia de tentar ser melhor do que os outros é bastante disseminada como forma de convivência. A publicidade, inclusive, parece depositar boa parte de sua chance de sucesso em fazer seu público-alvo se sentir superior aos outros, perdendo apenas para a tentativa de fazer o consumidor se sentir mais atraente em termos sexuais. Mais especificamente, eu me refiro a comerciais de produtos de limpeza que representam os homens como ineptos que não sabem cuidar da casa ou anúncios em que a "recompensa" por comprar um produto é poder se gabar, como se de alguma forma você tivesse se provado superior a seu parceiro ou parceira.

Por outro lado, quando um casal se sente calmo e tranquilo na companhia um do outro, isso torna mais provável que ambos se tratem de forma acolhedora e carinhosa. Gottman elaborou outro experimento em que observou 130 casais socializando em uma casa de veraneio ao longo de um dia. O que descobriu foi que, quando os casais estavam juntos, faziam o que o pesquisador chama de "solicitações" de conexão. Por exemplo, se um parceiro está lendo e diz: "Escuta isso", e o outro para de ler seu livro para ouvir, a solicitação de conexão foi atendida. Era mais uma busca por uma reação, um sinal de apoio e interesse.

Responder à solicitação de uma pessoa atende às suas necessidades emocionais. Gottman descobriu que casais que não estavam mais juntos depois de seis anos (na data da sessão de acompanhamento) tinham uma frequência média de resposta a essas solicitações de apenas 30%. Essas pequenas interações cotidianas criam boa vontade e um tratamento recíproco e, sem isso, nossas relações não se sustentam. Portanto, esse é o segredo para uma parceria de sucesso: responder e se interessar. E o que vale para os casais vale também para todos os relacionamentos, em especial com nossos filhos.

Além de atender aos pedidos de atenção, existem outras coisas que podem ser feitas para estimular a boa vontade — ou o contrário. Você pode procurar coisas que aprecia em seu parceiro, familiares e também em seus filhos. Ou, em vez disso, pode procurar seus defeitos e falhas. É uma escolha sua expressar apreço ou crítica. Eu sei qual das duas coisas prefiro escutar. Você pode decidir ser gentil — e a boa notícia é que a gentileza é contagiosa. Pesquisas mostram que, se você for gentil independentemente da reciprocidade, seu parceiro ou parceira pode adquirir esse hábito e passá-lo para a frente.

Virar o jogo, caso esteja desequilibrado, criticando menos e encontrando coisas para valorizar é fundamental não apenas para seu relacionamento afetivo ou sua relação familiar, mas para a vida como um todo. Venho de uma família em que a cultura era um pouco mais voltada para a crítica em vez da valorização, e precisei me esforçar muito para mudar. Quando retomo velhos hábitos, sinto que estou me banhando em uma sopa tóxica de críticas.

Ser gentil não é fazer papel de vítima ou aceitar tudo passivamente. Não significa que você não possa expressar seus sentimentos quando estiver com raiva, e sim explicar o que está sentindo e o motivo para isso sem culpar ou insultar a outra pessoa.

Também é importante saber que, mesmo quando nossas ações não têm a intenção de chatear ou irritar um membro da família, podemos provocar justamente essa reação. Quando alguém se sente mal por causa de alguma coisa que dissemos e fizemos, ainda que de forma não intencional, é importante escutar e validar os sentimentos do outro, em vez de ficar na defensiva. Precisamos lembrar que cada um de nós sente as coisas de maneira diferente. Ninguém está errado por ter uma reação distinta daquela que seria a nossa. Essas diferenças precisam ser respeitadas, e não provocar discussões sobre quem está tendo o sentimento "certo". Existe muita gente dando conselhos por aí. Alguns dizem para não esquentarmos a cabeça por pouca coisa na convivência em família e nos relacionamentos afetivos. Outros recomendam o contrário, e aconselham resolver os pequenos incômodos antes que acabem se agravando. Para mim, o que devemos ter em mente é entender como a outra pessoa se sente, mesmo que o nosso sentimento seja diferente, e tentar compreender o que ela está sentindo e, com sorte, conseguir essa mesma compreensão como retribuição. Ninguém sai perdendo quando todos são ouvidos, compreendidos e tratados com empatia. Faça disso uma prioridade em sua casa. Isso vai torná-la um bom lugar para um bebê ser recebido e um bom ambiente para uma criança se desenvolver.

Exercício: Não ignore as solicitações de atenção
Preste mais atenção aos momentos em que os membros de sua família solicitam uma conexão e, se possível, atenda à solicitação em vez de recusá-la. Não faz diferença se a solicitação vem de seu parceiro ou parceira, de sua mãe ou de seus filhos. Os relacionamentos são preciosos, e atender às solicitações é uma parte importante da manutenção do relacionamento.

Embora sejamos indivíduos, também somos parte de um sistema e fruto de nosso ambiente. Como vimos nesta parte do livro, existem muitas coisas que podemos fazer para ajudar esse sistema e esse ambiente a se tornar um lugar saudável para nossos filhos crescerem.

3. Sentimentos

Não há nada como ter um filho para aprendermos que os seres humanos sentem antes mesmo de serem capaz de raciocinar, e que os bebês e as crianças se concentram mais em seus sentimentos do que em qualquer outra coisa. A maneira como você responde e reage aos sentimentos de seu filho é importante, porque é uma necessidade fundamental dos seres humanos — grandes e pequenos, você e eu — ter nossos sentimentos reconhecidos e compreendidos pelas pessoas com papéis relevantes em nossa vida.

Um bebê é puro sentimento — um pacotinho de sentimentos, se preferir. Nem sempre entendemos tudo que eles sentem, às vezes vamos precisar confortá-los por um tempo até se acalmarem, mas é com esse trabalho amoroso que você vai criar as bases para a futura saúde emocional de seu bebê. Se os sentimentos dele forem levados a sério nos próximos anos, seu bebê vai aprender que, se às vezes as coisas parecem ruins, mais para a frente vão melhorar, especialmente se puder expressar como se sente para alguém que se mostre compreensivo.

Uma resposta sensível aos sentimentos de seus filhos vai ensiná-los a ter uma relação saudável com os próprios sentimentos, desde os extremos de raiva e luto, passando pelo contentamento e pela sensação de calma e tranquilidade, até os picos de alegria e generosidade. Essa é a base da boa saúde mental, e é por isso que esta seção talvez seja a mais importante do livro.

APRENDER A CONTER SENTIMENTOS

Ignorar ou negar os sentimentos de uma criança pode ser prejudicial para a saúde mental dela no futuro. Sei que você, como pai ou mãe, pode não se dar conta de que está fazendo isso, ou talvez adote essa atitude por achar que é o melhor a fazer. Quando outras pessoas, principalmente nossos filhos, estão infelizes, negar esses sentimentos difíceis às vezes é nossa escolha automática. Pode parecer a coisa certa. Pode parecer bom tentar depreciar, aconselhar, distrair ou até mesmo repreender esse tipo de manifestação. Não queremos que as pessoas que amamos sejam infelizes, e uma postura de aceitação em relação à infelicidade ou à raiva pode parecer perigosa e incômoda para nós; pode dar até a impressão de que estamos estimulando esses sentimentos de alguma forma. Mas não é porque os sentimentos são desaprovados que eles desaparecem. Eles apenas encontram um esconderijo, onde se inflamam e causam problemas mais adiante na vida. Pense no seguinte: quando você precisa gritar mais alto? Quando ninguém está escutando. Os sentimentos precisam ser escutados.

Não quero que você se sinta mal pela forma como pode ter reagido aos sentimentos dos seus filhos no passado, mas preciso destacar que é vital reconhecer, levar a sério e validar os sentimentos deles. A causa mais comum de depressão na vida adulta não é o que está acontecendo no momento, e sim o fato de que, na infância, a pessoa não aprendeu em sua relação com os pais como se reconfortar. Se, em vez de ser compreendido e reconfortado, o indivíduo ouviu que precisava parar de sentir o que sentia, ou chorou até pegar no sono, ou foi deixado sozinho com sua raiva, sua capacidade de tolerar sentimentos desagradáveis ou dolorosos vai se tornando cada vez menos viável à medida que as dissonâncias emocionais vão surgindo. A capacidade de tolerá-las diminui. É como se houvesse um espaço limitado em que as emoções difíceis podem ser contidas até ficar cheio demais e esses sentimentos não terem mais para onde ir.

Quando somos confortados e reconfortados pelos nossos pais, quaisquer que sejam nossos sentimentos, maior é a chance de adotarmos uma visão mais otimista em relação a esses sentimentos, o que nos torna menos suscetíveis à depressão ou à ansiedade mais adiante na vida. Não existe nenhum modo seguro de evitar problemas de saúde mental, mas com certeza é útil instigar em nós mesmos a crença de que, qualquer que seja a emoção que experimentemos, ainda somos aceitáveis e, por mais que estejamos nos sentindo mal, isso vai passar.

Lembre-se: todos os pais cometem erros, e corrigi-los é mais importante do que os erros em si. Portanto, se você pensou que a melhor tática para fazer seus filhos se sentirem melhor era fingir que não está vendo quando eles estão nervosos ou infelizes, não se preocupe. É possível mudar a forma de reagir aos sentimentos dos nossos filhos para que eles se sintam visto e ouvidos. Pode parecer estranho e diferente quando você começar a agir dessa forma, mas essa pode facilmente se tornar sua abordagem habitual. Primeiro, pense em como reagiu aos sentimentos dos seus filhos no passado. São três as maneiras — e a sua pode ser semelhante à sua forma de reagir aos seus próprios sentimentos. Pode ser que você varie entre as três, a depender da emoção ou da situação.

REPRESSÃO

Se você é uma pessoa repressora, sua inclinação natural é afastar sentimentos intensos e dizer "Psiu" quando confrontado com eles, ou "Não exagere, não é nada de mais", ou "Crie coragem".

Se menosprezar os sentimentos dos seus filhos como uma coisa pouco importante, eles se mostrarão menos propensos a compartilhá-los, independentemente da importância atribuída por você.

DRAMATIZAÇÃO

No extremo oposto, você pode sentir tanto pela criança que tem uma reação de histeria e chorar junto, como se a dor fosse tão sua quanto dela. Esse é um erro bem fácil de cometer, por exemplo nos primeiros dias em que você deixa um filho numa creche, antes de os dois se acostumarem com a nova rotina.

Tomando para si sentimentos dos seus filhos dessa forma, também diminui as chances de que eles os compartilhem com você. A criança pode achar que você não tem estrutura para suportá-los, ou se sentir invadida por essa apropriação de sentimentos.

CONTENÇÃO

Conter seus sentimentos significa que você sabe como reconhecê-los e validá-los. Se conseguir fazer isso por você, vai parecer uma coisa natural a fazer por seus filhos também. É possível levar um sentimento a sério sem dramatizar e manter uma postura contida e otimista. Você pode dizer: "Ah, meu bem, você está triste. Quer um abraço? Vem aqui, então. Pronto, vou abraçar você até se sentir melhor".

Se souber que será vista e reconfortada sem ser julgada, a criança se tornará mais propensa a compartilhar com você o que está acontecendo.

É disso que uma criança precisa: pais que a ajudem a conter suas emoções. Isso significa que você está lá para ajudar e sabe e aceita o que ela sente, mas não se deixa levar por esses sentimentos. Essa é uma das coisas que os psicoterapeutas fazem por seus pacientes.

Conseguir ser essa figura que sabe conter emoções significa reconhecer a raiva em uma criança, entender o motivo e talvez ajudá-la a traduzir aquilo em palavras, encontrando maneiras aceitáveis para ela expressá-la sem adotar uma atitude punitiva nem se deixar abalar por esse sentimento. Isso também vale para outras emoções.

Somos todos diferentes em relação às emoções com as quais ficamos mais à vontade, por causa de nossas experiências na infância. Isso depende de que associações com cada emoção foram feitas pelas outras pessoas, e consequentemente por nós, quando éramos crianças. Se você cresceu em uma família cujo contato costuma acontecer por meio de conflitos, pode ter se habituado a vozes exaltadas ou até gritos; pode até conseguir associar essas coisas a amor. Se, por outro lado, você veio de uma família que evitava qualquer tipo de confronto, talvez se incomode profundamente com conflitos. Se você se sentia manipulado quando era criança, pode desconfiar ou se sentir desconfortável com afeto e amor porque pensa que pode ser uma armadilha.

Exercício: Você se sente à vontade com suas emoções?

Este exercício é uma boa forma de começar a observar suas reações aos sentimentos, tanto os seus como os de seus filhos. Um de cada vez, pense em medo, amor, raiva, entusiasmo, culpa, tristeza e alegria. Com quais sentimentos você se sente mais confortável? Quais fazem você se sentir menos à vontade? E como lida quando eles são dirigidos a você, ou quando os vê nos outros?

Precisamos das emoções, mesmo as mais inconvenientes. Pense nas inconvenientes como luzes de alerta em um painel. Sua reação à luz de alerta da gasolina acabando não deve ser remover a lâmpada para que ela não acenda mais, e sim dar ao carro aquilo de que precisa para funcionar melhor. E isso também vale para os sentimentos. Acima de tudo, devemos tentar não nos distrair deles, tampouco abafá-los, mas sim lhe dar atenção e usá-los para entender do que precisamos para saber o que queremos e, se for o caso, correr atrás disso.

A IMPORTÂNCIA DE VALIDAR SENTIMENTOS

Nossos sentimentos têm seu papel em tudo que fazemos e em todas as decisões que tomamos. A maneira como lidamos com nossos sentimentos influencia como nossos filhos aprendem a lidar com os deles. Os sentimentos e instintos são intimamente ligados e, se negarmos como uma criança se sente, corremos o risco de abafar seus instintos. E os instintos de uma criança a deixam mais segura. Por exemplo, no excelente livro *Como falar para seu filho ouvir e ouvir para seu filho falar*, de Adele Faber e Elaine Mazlish, as autoras contam a história de uma criança que vai com os amigos até uma piscina do bairro, mas volta para casa pouco depois de ter saído. "Por que você voltou tão cedo e sozinha?", pergunta a mãe. A filha explica que tinha um menino mais velho na piscina que queria fingir que era um cachorro e lamber os pés dos outros. Os amigos acharam engraçado, mas ela achou nojento. Acredito que seja muito provável que os amigos dela tinham sido treinados a não reagir a certas coisas de tanto que seus pais falaram "Não seja bobo, não faça um escândalo", em vez de serem estimulados a levar os próprios sentimentos a sério. Se de fato foi esse o caso, isso compromete a segurança deles. É muito fácil ignorar os medos de uma criança sobre, por exemplo, experimentar uma comida nova, mas, se dissermos para ela não ser boba em vez de escutar, corremos o risco de fazê-la pensar que seus sentimentos são bobagens, o que não é verdade de forma nenhuma.

 Minha nossa, você deve estar pensando, já é difícil dar conta de todas as coisas que preciso fazer para manter meus filhos seguros, alimentados e limpos. Agora, como se isso não bastasse, preciso sentir o que eles sentem também? Por mais que eu odeie "dicas" e "estratégias", se existe uma que vale a pena é a seguinte: não crie uma batalha em torno do que uma criança está sentido. Um filho de oito anos pode dizer: "Não quero ir à escola". Responder "Você vai, e pronto" é algo que pode sair facilmente da nossa boca quando estamos com pressa e temos nossas próprias preocupações. Mas dizer "Você está odiando mesmo a escola agora, hein?"

é mais fácil para a criança escutar. Isso abre espaço para o diálogo, em vez de fechar.

E são raras as vezes em que negar o sentimento de uma criança é o caminho mais rápido. Por exemplo, como vivemos com pressa, pegamos um filho pequeno no colo para tentar colocar um casaco nele, que não gosta dessa atitude. Então pedimos que ele mesmo faça isso, mas, a essa altura, ele está decidido a não vestir o casaco. Então, veja só, teria sido mais fácil agir de forma respeitosa e reconhecer os sentimentos dele primeiro. Isso significa avisar que está na hora de colocar o casaco, em vez de tentar vesti-lo à força, e depois observar, escutar e mostrar que entendeu o que ele está sentindo. Se ele se recusar a colocar o casaco, você pode dizer: "Você odeia ficar com muito calor, por isso não quer colocar o casaco. Certo, vamos vestir quando você estiver lá fora e começar a sentir frio". E, se você vive com pressa de manhã, acorde mais cedo para ter algum tempo para respeitar o ritmo mais lento de seus filhos e reconhecer seus sentimentos. Assim, é menos provável que a vida vire uma batalha.

Uma outra mãe, Kate, me contou que, quando seu filho Pierre era pequeno, algumas vezes por dia algo o chateava, e ele começava a chorar.

> Muitas vezes era uma coisa que para mim parecia insignificante, como o fato de estar chovendo ou ele ter sofrido um tombo, ou eu ter falado que ele não podia nadar com os pinguins. Eu tentava ser compreensiva porque sabia que o que para mim era pequeno poderia ser uma catástrofe para ele. Mas, quando ele fez quatro anos e isso continuou acontecendo, comecei a pensar que Pierre nunca desenvolveria resistência. Comecei a pensar que talvez eu estivesse sendo

permissiva demais. E que talvez devesse começar a falar para ele parar de fazer escândalo por bobagem. O que me impediu de fazer isso foi lembrar como me sentia mal quando meus pais me falavam para parar de ser boba ou que eu precisava crescer.

Agora Pierre tem seis anos, e percebo que muitas vezes passamos dias e dias sem nenhuma lágrima. Agora ele sabe lidar com coisas que antes teriam feito com que soltasse um mar de lágrimas. Ele diz: "Deixa pra lá, mamãe, vamos dar um jeito nisso". Ou: "Me dá um abraço enquanto meu joelho dói. Vai parar na hora". A mudança aconteceu de maneira gradual e imperceptível. Fico muito feliz por ter continuado aceitando seus sentimentos e oferecendo conforto.

Embora possa ter lhe parecido o caminho mais demorado na época, Kate na verdade optou pelo método mais rápido. Quando falamos para os nossos filhos não se sentirem mal, estamos dando dois motivos para eles chorarem: a coisa que os entristeceu originalmente e o fato de ter irritado os pais. Siga a filosofia de acalmar as lágrimas, compartilhando esse momento com eles, em vez de tentar eliminar os motivos. Se você levar os sentimentos de seus filhos a sério e os reconfortar quando eles precisarem, aos poucos eles vão aprender a internalizar essa forma de se reconfortar e, com o tempo, vão se tornar capazes de fazer isso por conta própria.

Se você cresceu sofrendo reprimendas por demonstrar sentimentos inconvenientes, é muito fácil repetir esse mesmo modelo com seus filhos. Uma coisa que pode impedir esse erro é se lembrar de quando eles faziam você se sentir mal por estar triste, como Kate. A tristeza é parte da vida. Mas, se essa repressão por se sentir triste ainda estiver internalizada, mesmo na vida adulta talvez você se pegue pedindo desculpas por chorar quando alguma coisa horrível acontece.

Pode ser difícil aceitar os sentimentos dos filhos em vez de repreendê-los por expressá-los se, assim como Kate, seus sentimentos foram negados pelos seus pais. Pode parecer um salto no escuro, e é mesmo: você está quebrando os elos de sua corrente emocional ancestral. Mas lembre-se: essas são as bases para a boa saúde mental de seus filhos. A propósito, deslizes como repressão e dramatização não vão destruir seus filhos para sempre, ainda mais se a maioria deles for corrigida mais adiante.

Ficar à vontade com suas emoções, por mais fortes que sejam, é o segredo para ser capaz de conter os sentimentos dos seus filhos e tranquilizá-los. Se você reagir de forma histérica, não vai ser capaz de conter nem seus próprios sentimentos, muito menos os de uma criança.

Talvez você precise de um treinamento para lidar com suas próprias emoções sem reprimi-las ou reagir com histeria, e sim reconhecendo como se sente e encontrando formas de se tranquilizar ou aceitar a ajuda das pessoas ao seu redor para isso. Uma maneira de fazer isso é definir seu sentimento em vez de se deixar definir pelo sentimento. Você pode fazer o mesmo pelos seus filhos. Em vez de dizer "Estou triste" ou "Você está triste", diga "Estou me sentindo triste" ou "Parece que você está se sentindo triste". Usar essa linguagem permite a você definir o sentimento, em vez de se identificar com ele. Esse detalhe pode fazer uma grande diferença.

Também é importante adquirir o hábito de falar sobre sentimentos, tanto os seus como os dos seus filhos. À medida que as crianças amadurecem, a parte lógica do cérebro delas se torna mais dominante. Não que se tornem absolutamente lógicas — os seres humanos nunca deixarão de ser criaturas emocionais —, mas elas podem aprender a usar imagens, desenhos e linguagens para discutir e entender como se sentem. Ao fazerem isso, seus sentimentos começam a agir a favor delas, em vez de subjugá-las. Quando seus filhos expressam sentimentos, colocá-los em palavras ou imagens pode ajudar a ordená-los e entendê-los.

É fácil dizer: "Você parece feliz com isso", mas pode ser mais difícil reconhecer as emoções difíceis, ou aquelas que você deseja que seus filhos não sintam. Se uma criança está chorando porque você não a deixou tomar sorvete depois do almoço, saber reconhecer um sentimento difícil não significa que você precisa ceder a essa vontade, tampouco largar o trabalho para que ela não tenha mais de ficar com a babá ou evitar qualquer coisa que a deixe infeliz. Significa apenas encarar os sentimentos dela a sério, levá-los em consideração ao tomar decisões e ajudar a tranquilizá-la, não por negação ou distração, mas por reconhecimento, compreendendo sua reação sem fugir nem se distanciar dela. Pode parecer arriscado no começo reconhecer sentimentos que você prefere que ela não tenha — como ter raiva do irmão ou de visitar a avó —, mas, se a criança se sentir vista e compreendida, isso lhe dá um motivo a menos para reclamar e chorar.

Em seu livro *A criança orquídea*, publicado originalmente em janeiro de 2019, o dr. Thomas Boyce conta que ele e seus colegas estavam coletando dados para analisar como o estresse do início das aulas afetava o sistema imunológico das crianças quando ocorreu o grande terremoto de 1989 na Califórnia. A princípio, os pesquisadores ficaram decepcionados porque esse fator adicional comprometeria o estudo, mas decidiram se aproveitar da ocasião para pesquisar o efeito do abalo sísmico sobre o sistema imunológico das crianças. Todas elas receberam uma caixa de giz e folhas de papel, e os pesquisadores pediram que "desenhassem o terremoto". Algumas crianças fizeram desenhos felizes e animados do desastre, enquanto outras demonstraram mais angústia e ilustraram os aspectos mais terríveis do terremoto. Qual grupo de crianças você imagina que estava mais saudável? As crianças que fizeram desenhos felizes e otimistas do terremoto sofriam significativamente mais doenças respiratórias do que aquelas que representaram medo, fogo, fatalidades e tragédias. O dr. Boyce compreendeu que isso significava que uma característica que remonta aos primórdios da humanidade, a de se expressar por meio de contar histórias, ou fazer arte, é uma forma de nos apropriarmos das coisas que nos dão medo porque, quanto mais nos expressamos dessa maneira, menos assustadoras as coisas vão se tornando. Expressamos nossa tristeza, por mais doloroso que possa ser, porque toda vez que fazemos isso, em maior ou menor grau, a intensidade do sentimento diminui.

No livro, o dr. Boyce explica que algumas crianças são ultrassensíveis, e o ambiente causa um grande impacto sobre elas. Essas são as que ele chama de orquídeas. As que são naturalmente mais resistentes ele chama de dentes-de-leão. Não há como saber se um bebê é um dente-de-leão ou uma orquídea, mas os dentes-de-leão também se beneficiam de ter seus sentimentos escutados. É fundamental que os pais sejam sensíveis aos sentimentos de uma orquídea, e todos nós — dentes-de-leão ou orquídeas — nos beneficiamos por ter nossos sentimentos reconhecidos, validados e compreendidos — ainda que, nas mesmas circunstâncias, tivéssemos uma reação diferente.

O estudo de caso a seguir é sobre uma criança orquídea chamada Lucas, cujos pais, como ocorre na maioria das famílias hoje, precisavam trabalhar fora. Atualmente, são poucas as famílias que têm o luxo de ter um dos pais sempre disponível para a família, e pode ser frustrante ficar em casa se isso não combinar com seu temperamento. Criança nenhuma quer ter pais infelizes e martirizados, portanto meu argumento não é que um dos pais deve ficar em casa — o que defendo é permitir que os filhos tenham seus próprios sentimentos sobre o mundo e as questões familiares que os cercam, e não que desenvolvam uma atitude de negação a respeito. A criança terá mais capacidade de ser feliz se puder experimentar todo e qualquer sentimento, e não apenas os mais convenientes. Além disso, se a interpretação do dr. Boyce de seu estudo sobre o terremoto de 1989 estiver correta, expressando como se sente e tendo seus sentimentos ouvidos e compreendidos, ela também terá um sistema imunológico mais forte. Queremos tanto que nossos filhos sejam felizes, porque os amamos demais, que podemos cair na armadilha de desenvolver uma atitude de negação a respeito de como nossos filhos se sentem. Espero que o estudo do dr. Boyce e a história a seguir nos lembre que esse não é o melhor caminho a seguir.

O PERIGO DE DESAPROVAR SENTIMENTOS: UM ESTUDO DE CASO

Annis e John são pessoas afetuosas e carinhosas, dedicadas a seu filho pequeno, Lucas, de dez anos. Ambos têm pequenas empresas e trabalharam muito para consolidar sua reputação e suas bases de clientes. Compraram um apartamento e estão felizes por terem esse patrimônio como garantia futura, mas vivem se sentindo inseguros financeiramente.

    Lucas entrou para a creche quando era pequeno, mas nunca se acostumou. Então, seus pais empregaram uma série de babás para cuidar dele. Na situação financeira em que estavam, eles não pareciam ter opção além de alguém mais que cuidasse de Lucas. As babás o levavam para a escola, o buscavam e ficavam com ele nos dias sem aula. Além delas, amigos da família e a avó de Lucas ajudavam. Annis e John faziam questão de ter um tempo juntos aos finais de semana, e Lucas parecia bem feliz. Os dois sempre pensavam no melhor para Lucas em termos de amor e cuidados, e mal podiam esperar para vê-lo, embora muitas vezes quando chegavam em casa o menino já estivesse dormindo. Se Lucas pedisse para ver um deles com mais frequência, os pais prometiam fazer alguma coisa de que ele gostasse no fim de semana. Lucas parecia bem.

    Sim, Lucas parecia bem, até que, aos dez anos, tentou pular da janela do sexto andar. Foi impedido de fazer isso apenas porque John havia esquecido alguma coisa, voltou ao apartamento e conseguiu puxá-lo de volta para dentro. A babá estava lavando louça na cozinha. Sei que se trata de uma história alarmante, e devo salientar que tentativas de suicídio são raras para uma criança em circunstâncias razoavelmente felizes como as de Lucas.

    Os pais de Lucas se afastaram temporariamente do trabalho para ficar com ele porque sabiam que se tratava de uma emergência. Eles não faziam ideia de que o filho estava tão infeliz. "Eu acho", John me disse, "que só víamos o que queríamos ver." John também estava inseguro sobre usar os medicamentos antidepressivos que seu médico de família sugeriu. Seus instintos lhe diziam que havia um problema, e anestesiar os sentimentos do filho com remédios não parecia certo. Ele decidiu levar Lucas a um terapeuta. Às vezes, Lucas ia às consultas sozinho, às vezes com a mãe ou com o pai. Lucas contou na terapia sobre as férias em que era levado das casas de amigos para a casa da avó e depois de volta para casa com uma babá. Ele se sentia um peso para a família, porque ouvia seus pais ao telefone organizando esquemas para cuidar dele, e isso parecia muito difícil para os dois. Em certo nível, o menino sabia que seus pais o amavam, porque eles falavam isso, mas era difícil se sentir amado. "Às vezes", ele disse, "eu me sinto como em um passa anel."

Ele também disse na terapia que, quando se apegava a uma babá, ela partia e era substituída por outra. Depois, se sentiu mal porque começou a se esquecer de algumas, por mais que tivesse gostado delas. Isso o fazia pensar que elas deviam ter se esquecido dele também.

Ele não conseguia se lembrar de quando começou a se sentir triste; nem sequer entendia que aquilo era tristeza. Quando havia tentado contar para Annis e John sobre como estava se sentindo, seus pais consideraram a conversa difícil demais, então tentaram distraí-lo ou animá-lo, ou simplesmente o contradisseram.

Como pais, queremos mais do que tudo que nossos filhos sejam felizes. Quando não estão, queremos convencê-los, e a nós mesmos, de que estão, sim. Isso pode nos trazer um alívio no curto prazo, porém faz nossos filhos se sentirem solitários por não serem vistos nem ouvidos.

John: Antes, se Lucas dissesse ou demonstrasse que não estava feliz, eu dizia algo como: "Não fique triste — vamos ao zoológico no sábado", ou "Vou comprar um video game novo para você". Trabalhando esse assunto com o terapeuta, descobrimos que ele via isso como uma bronca. Eu queria dizer: "Não era uma bronca!", mas o terapeuta me interrompia delicadamente e me pedia para validar o que Lucas estava dizendo.

Para mim, se reconhecesse para Lucas que, por exemplo, eu não estar lá quando ele voltava da escola o deixava triste, eu o deixaria mais triste. Isso era difícil. Mas, como nós tivemos um grito de alerta tão gigantesco, precisávamos mesmo mudar, então fizemos o que o terapeuta sugeriu.

Quando Lucas disse que se sentia triste, aprendi a perguntar o que ele estava sentindo, ou onde sentia aquilo, ou se sabia o motivo. Quando aceitávamos seus sentimentos, ele se sentia mais ouvido do que rechaçado e, para a minha surpresa, isso o fazia se sentir melhor.

Também aprendemos que não basta falar para Lucas que o amamos. Precisamos mostrar que ele é nossa prioridade. E ele é — é por isso que trabalhamos tanto. Precisamos mostrar para ele que o amamos realmente marcando presença, não apenas dizendo boa-noite por Skype ou levando-o para um passeio aos fins de semana.

Peguei um empréstimo para poder passar um mês em casa com Lucas. Passeamos, vimos desenhos, fomos à terapia. Lucas não falava muito, mas, quando falava, eu escutava. O terapeuta me ensinou a escutar sem me sentir obrigado a resolver nada, e tentei colocar isso em prática naquele mês.

Lucas está de volta à escola agora. Fazemos questão que pelo menos um de nós esteja em casa às seis da tarde para que ele tenha umas boas duas horas sendo a prioridade de um de nós toda noite. Preparamos o jantar juntos ou só assistimos à TV juntos. Gostaria de poder dizer que nunca olho o celular nessas duas horas. Mas tento não olhar.

Para Annis, foi muito mais difícil. Ela se sentia muito mal por não ter se dado conta de como Lucas estava, e assustada por terem chegado perto de perdê-lo ou de ele se ferir com gravidade.

A culpa parental não ajuda nem a nós nem aos nossos filhos; reconhecer nossos erros e mudar, sim. Como vou continuar destacando ao longo deste livro, ninguém é perfeito, e todos cometemos erros. Os erros não são o que mais importa, e sim a maneira como os consertamos. As rupturas que causam problemas em nossas relações com nossos filhos e com a saúde mental deles só se tornam um problema se não forem reparadas. Também gostaria de enfatizar que a descoberta de Lucas e seu terapeuta foi a de que o problema não era tanto o fato de que seus pais saíam para trabalhar, mas que ele não tinha com quem compartilhar como se sentia em relação a isso. Da mesma forma, não foi o terremoto que deixou algumas das crianças doentes, e sim o fato de o sistema imunológico daquelas que eram capazes de expressar livremente a forma como se sentiam sobre o desastre as protegeu.

Imagino que a culpa de Annis possa ter algo a ver com papéis de gênero tradicionais, que ela se considerava mais responsável por Lucas do que John. O pai e a mãe são responsáveis pelos filhos na mesma medida, claro, mas é difícil deixar de lado as tradições que remontam a muitas gerações. Isso não significa que não devam ser abandonadas, e sim que essas questões precisam ser discutidas, para que os membros da família não presumam coisas a partir de pressupostos diferentes.

Espero que Annis consiga se sentir bem no futuro, porque tanto ela como John se deram conta do que estavam fazendo para contribuir para a maneira como Lucas se sentia e solucionaram o que precisava ser corrigido. Os dois aprenderam a validar sentimentos e experiências e são ótimos em fazer isso com Lucas agora — e também consigo mesmos e um com o outro.

Felizmente, a maioria das crianças não tenta o suicídio. Mas não espere por alertas preocupantes — sejam problemas na escola, ataques de raiva, automutilação, depressão ou ansiedade — para demonstrar aos seus filhos todos os dias que você pensa neles e leva seus sentimentos a sério. Incentive a criança a desenhar o que sente e aceite esses sentimentos. É imprescindível mostrar que aquilo que ela sente é importante.

As palavras só são capazes de ir até certo ponto; as atitudes vão além. É impossível delegar amor — um certo grau de cuidado com as crianças sim, mas amor não. Também não dá para procrastinar: o amor não pode esperar até o fim de semana; as crianças precisam de pelo menos um dos pais todos os dias. Como o psiquiatra e psicanalista infantil Donald Winnicott notou ao observar crianças brincando de esconde-esconde: "É uma alegria estar escondido e um desastre não ser encontrado". Isso também vale para a vida. Podemos gostar de alguns segredos, tanto como adultos quanto como crianças, mas, se não tivermos ninguém para nos enxergar, mostrar que entende como somos, onde estamos e quando queremos alguma coisa, isso pode levar a um desastre.

RUPTURA E REPARAÇÃO E SENTIMENTOS

Ao pensar sobre sentimentos, lembre-se de ruptura e reparo. Gostaria de poder dizer que nunca gritei com a minha filha, ou que nunca coloquei meus próprios sentimentos na frente dos dela — mas claro que já fiz isso, assim como meus pais antes de mim. Mas a diferença entre como fui criada e como ela foi criada é que meus pais nunca admitiam estar errados e sempre tinham justificativa para tudo. Mesmo quando eu já era adulta, meus pais nunca me pediam desculpas se me tratavam de maneira injusta ou quando ficava claro que estavam enganados sobre alguma coisa. Eu sabia que não queria ser assim, então tomei a decisão consciente de não repetir esse comportamento.

Apesar das minhas boas intenções, às vezes eu me comportava de uma forma da qual me arrependia. Quando fazia isso, se parasse no meio ou percebia mais tarde, eu sempre pedia desculpas a ela, ou mudava minha forma de pensar ou minha atitude. Eu e o pai da minha filha mudávamos quando nosso comportamento não era positivo e admitíamos quando estávamos errados. Eu não sabia como isso a afetaria. Foi um experimento — criar um novo elo na cadeia emocional da família. Mas comecei a descobrir desde cedo.

Certa tarde, quando tinha por volta de quatro anos, Flo estava comendo um pedaço de bolo na cozinha e disse: "Desculpa por estar mal-humorada no carro, mãe, eu estava com fome. Agora estou melhor". Ela estava se desculpando. Estava refletindo sobre seu comportamento e tentando reparar uma ruptura percebida. Fiquei muito contente. Nunca imaginei que assumir a responsabilidade pelo meu comportamento, sem ficar me justificando ou botando a culpa em outra pessoa, significaria que ela aprenderia a fazer o mesmo.

Mas aprendeu, claro. As crianças, como todos nós, tendem a retribuir o tratamento que recebem. Mostrar-se sensível aos sentimentos alheios e fazer o reparo necessário depois da ruptura é sempre melhor do que impasses, campos de batalha e ganhar e perder.

Outro momento em que me lembro de ficar animada foi a primeira vez em que minha filha falou: "Eu vou ficar com raiva logo mais". Em vez de agir motivada pela raiva, ela a expressou em palavras. Assim, pude responder: "Sim, isso é muito irritante, não?". E ela aprendeu a continuar conversando sobre o que sentia em vez de fazer uma birra.

SENTIR JUNTO EM VEZ DE TENTAR RESOLVER

Dave, pai de Nova, de quatro anos, estava frustrado porque ela parecia apegada demais às rotinas. Ele detestava vê-la fazer uma birra enorme quando as coisas não saíam do seu jeito — por exemplo, se não podia sentar em seu lugar favorito no carro. Ele a repreendia ou tentava convencê-la a ser mais flexível, mas normalmente os dois só acabavam mais irritados um com o outro.

Dave me perguntou o que fazer para ajudar Nora a aprender a ser adaptável, e expliquei a importância de validar sentimentos. Ele decidiu que tentaria:

> Alguns dos primos de Nova precisavam de uma carona e um, sem saber, sentou no lugar que ela costumava sentar. Ela começou a chorar na mesma hora. Normalmente eu teria dito "Não faz escândalo, é só sentar em outro lugar", ou pediria ao primo que mudasse de lugar. Mas o que fiz foi me agachar para ficarmos da mesma altura e falei para ela em um tom baixo e gentil: "É muito difícil para você ver Max no seu lugar. Você queria muito sentar lá, não?". O choro diminuiu um pouco, e ela olhou para mim. Eu a compreendi de verda-

de, e percebi que ela viu isso no meu rosto. Falei que ela poderia sentar lá da próxima vez. E perguntei: "Onde você quer sentar agora, do lado da janela ou na cadeirinha na frente?". Para minha surpresa, ela foi e buscou a cadeirinha, colocou o cinto sozinha e começou a conversar, toda contente.

Dar bronca e tentar convencer Nova só a tinha deixado mais teimosa. Quando ela viu que seu pai realmente sentia muito, ela não precisava mais insistir no que queria. Dave validou os sentimentos de Nova. É como continuar dirigindo na mesma direção ao derrapar no gelo: se tentar uma guinada para o outro lado, você escorregará mais ainda; mas, se alinhar os pneus para onde o carro estiver embicado, vai recuperar o controle do volante e conseguir estabilizar o veículo.

Uma das coisas mais difíceis no processo de reconhecer os sentimentos de seu filho é quando você se sente de outra forma. Por exemplo, seu filho de sete anos pode soltar um suspiro pesado e dizer: "A gente nunca sai". Você pode querer argumentar: "Mas nós fomos ao parque de diversões na semana passada!" ou "A gente vive saindo". Talvez você se irrite porque o esforço e os gastos gerados pelo passeio não foram reconhecidos.

Negar os sentimentos de seu filho pode começar a afastar essa pessoa com quem você quer ter uma relação amorosa para a vida toda, cuja felicidade é tão importante. Mudar sua reação pode parecer um contrassenso, mas todos nós nos sentimos melhor quando nossas experiências são reconhecidas e não rechaçadas, e nesse sentido as crianças não são diferentes. Entenda que a criança está apenas dizendo o que sente e use isso como uma oportunidade para criar laços, para falar sobre os sentimentos dela em vez de afastá-la.

Negar a infelicidade não faz com que essa sensação desapareça, apenas a enterra em uma camada mais profunda. Vamos voltar ao exemplo.

CRIANÇA A gente nunca sai.

ADULTO Você parece entediado e irritado.

CRIANÇA Sim, a gente passou o dia inteiro em casa.

ADULTO É verdade, nós passamos. O que você queria fazer?

CRIANÇA Queria ir ao parque de diversões de novo.

ADULTO Esse dia foi divertido, não foi?

CRIANÇA Foi, sim.

Essa conversa tem grandes chances de satisfazer a criança, e é menos provável que se transforme em uma discussão. Seus filhos não são burros — eles sabem que não podem ir ao parque todos os dias —, mas precisam que os pais saibam que querem a companhia deles, e que também se sintam assim. O importante é saber confortar os sentimentos deles enquanto aprendem a lição desagradável de que a vida nem sempre pode ser do jeito que eles querem.

Isso vale para todos, crianças e adultos. Quando nos sentimos mal, não precisamos que a situação seja resolvida. Queremos alguém para compartilhar a sensação, e não para tentar contorná-la. Queremos que outra pessoa entenda como nos sentimos para não ficarmos sozinhos com esse sentimento.

Minha filha Flo, hoje já adulta, me disse um dia desses: "Sinto tanta vergonha por ter sido reprovada no meu exame de direção". Ninguém gosta de ver os filhos sofrendo, e é fácil cometer o erro de correr para tentar resolver o problema. "Você não precisa sentir vergonha", falei, tentando desesperadamente contornar a situação. "Não", ela respondeu. "Só preciso de um abraço."

Todos cometemos deslizes, assim como eu, mas, se tentarmos compartilhar o que os nossos filhos sentem em vez de rechaçar seus sentimentos na maioria das vezes, eles vão saber do que precisam e conseguir pedir.

Você não precisa esperar até a criança aprender a falar para validar os sentimentos dela e levá-la a sério. Pode fazer isso interpretando a situação, imaginando o que ela está sentindo e expressando isso em palavras. Mesmo quando a criança sabe falar, pode não ser capaz de articular um sentimento tão bem como você — é por isso que, no exemplo dado, o filho se expressa dizendo "A gente nunca sai", em vez de "Estou inquieto, preso em casa e sem saber o que fazer". Nesse caso o pai traduz em palavras os sentimentos que observa no menino, uma reação que é bem recebida e leva a um momento de conexão, quando ele responde "Foi, sim".

MONSTROS EMBAIXO DA CAMA

Quando são muito pequenas, algumas crianças falam de fantasmas ou monstros embaixo da cama. Em vez de prestar atenção na história ou na explicação que elas dão, preste atenção ao sentimento que está sendo expresso. Em vez de descartar automaticamente a ideia de que há monstros embaixo da cama, nomeie o sentimento que os monstros parecem representar. "Você parece estar com medo, pode me contar mais?" Ou: "Vamos criar uma história sobre esses monstros. Como eles se chamam?". Se fizer isso, você pode conseguir vencer os monstros. Faça o que combinar melhor com seu estilo natural; a questão não é tanto as palavras que usamos, e sim ficarmos com nossos filhos até eles se sentirem reconfortados, em vez de tratá-los como bobos. Você não sabe, mas esses monstros podem estar representando a impaciência dos pais na hora de dormir, ou algo complexo que seus filhos não conseguem articular. Mesmo quando é impossível encontrar a origem de cada sentimento, isso não quer dizer que não seja real, e que não precise de validação.

E fazer seus filhos se sentirem bobos com um "Deixa de bobagem — você sabe que monstros não existem" dificilmente vai tranquilizá-los.

O importante é manter as linhas de comunicação abertas. Se desdenhar dos seus filhos dizendo que estão sendo bobos, eles aprendem a se fechar não apenas em comunicações "bobas", mas também naquelas que você não consideraria bobagens.

A distinção entre "bobo" e "não bobo" é tão clara para nós que podemos presumir que também seja para uma criança. Mas ninguém consegue evitar sentir o que sente, mesmo se outras pessoas reagirem de outra forma à mesma situação, mesmo se acharem bobagem.

Você quer ser uma pessoa com quem seus filhos possam conversar. Se você disser à criança que está sendo boba por reclamar porque a vovó a obrigou a comer um belo ensopado de lentilha, ela talvez sinta que não tem abertura para lhe contar quando o professor de piano esquisitão passar a mão na perna dela. A diferença entre as duas situações é bem clara para nós, mas, para uma criança, ambas são arquivadas na mesma categoria de "coisa nojenta". E, se algumas coisas nojentas forem tratadas como irrelevantes por você, é provável que seus filhos sintam que é melhor evitar a humilhação e não compartilhar mais nada.

Você pode achar que se trata de um exemplo extremo, porque o ensopado da vovó e um professor de piano passando a mão na perna de uma criança são coisas muito diferentes. Mas seus filhos não estão no mundo há tanto tempo quanto você, não têm a mesma experiência, as mesmas informações e ainda não compreendem a sexualidade. A criança pode ainda não ter aprendido que ser tocada de maneira inapropriada é pior do que ser obrigada a comer um prato de que não gosta. Para ela, as duas coisas são uma agressão aos sentidos. Falar para um filho que ele está sendo bobo por alguma coisa vai cortar a comunicação entre vocês, e isso pode ser perigoso.

A IMPORTÂNCIA DE ACEITAR TODOS OS HUMORES

Se perguntarem o que deseja para seus filhos, é provável que você responda: "Quero que eles sejam felizes". Não é ruim querer que os filhos sejam felizes. Mas será que não investimos demais na ideia de "felicidade", na imagem perfeita da família perfeita se divertindo na grama, fazendo um piquenique perfeito entre flores silvestres?

A felicidade, como todos os sentimentos, vem e vai. Inclusive, se você sentisse só felicidade o tempo todo, dificilmente saberia, já que não teria outros estados emocionais com os quais compará-la. E para uma criança ser feliz é necessário que os pais aceitem todos os seus humores e todos os aspectos de como ela vivencia seu mundo. Não vai ser um piquenique na maior parte do tempo.

Não dá para ser feliz com reprimendas ou mesmo distrações. Quanto mais você aceita e ama seus filhos, qualquer que seja a vivência deles e como se sentem a respeito, maior capacidade para a felicidade eles terão. Isso vale para você e também para seus filhos. Precisamos aceitar a nós mesmos e todos os nossos humores também.

Lembro de quando um amigo dos meus pais me perguntou, quando eu tinha doze anos, se estava tendo uma infância feliz. Falei para ele: "Não, não muito. Não me sinto exatamente feliz na maior parte do tempo". Meu pai escutou isso e se virou para me censurar, irritado. "Que bobagem", ele disse. "Você tem uma infância paradisíaca, uma infância muito feliz. Que absurdo." E, como ele era meu pai — meu amado pai, ainda que assustador —, achei que devia ter me enganado. Eu me senti confusa, insegura em relação aos meus próprios sentimentos.

Os pais tendem a pressupor que aquilo que pensam que os faria felizes também vale para os filhos, mas não é bem assim — como você já deve ter descoberto. Talvez você se sinta um fracasso se seus filhos parecerem infelizes e, em vez de admitir esse sentimento tão incômodo, pode tê-los repreendido para que se sentissem felizes, assim como meu pai.

Se na época eu tivesse o mesmo conhecimento de hoje, eu teria conseguido entender melhor como estava me sentindo depois de receber a reprimenda do meu pai, mas na ocasião meu cérebro simplesmente entrou em parafuso. É assim que fico quando um sentimento meu é negado por alguém que admiro. E, no meio do turbilhão, ainda entra a vergonha, porque eu entendi alguma coisa de maneira errada — e nunca soube o quê.

O que meu pai perdeu foi a oportunidade de se conectar comigo, talvez não naquele momento, mas depois que a visita tivesse ido embora. Ele poderia ter me perguntado o que eu estava sentindo e não tomado a resposta, fosse qual fosse, como um ataque pessoal contra si. Poderia ter me ajudado a articular melhor a sensação e ter tentado ver o mundo com os meus olhos. Não estou dizendo que ele tinha de mudar sua visão de mundo, mas poderia ter tentado entender que o meu ponto de vista também era uma maneira válida de enxergar as coisas e a mim mesma.

Se a tristeza, a raiva e os medos dos seus filhos forem tratados não como coisas negativas a serem corrigidas, mas como oportunidades para aprender mais sobre eles, a relação entre vocês vai se tornar mais profunda. Assim, é mais do que provável que eles tenham mais capacidade de ser felizes.

Se chegar em casa e disser para seu parceiro ou parceira "Tive um dia péssimo no trabalho", e ele ou ela responder "Não deve ter sido tão mau", você provavelmente vai achar que seu sentimento não foi visto, nem ouvido, nem atendido. Pode até achar que foi refutado. Se esse é o tipo de resposta que você costuma receber, pode acabar deixando de se confidenciar à pessoa.

Se, em vez disso, seu parceiro ou parceira disser "Me conta mais", e você explicar que precisou fazer um trabalho duas vezes por causa de um descuido da sua chefe e ouvisse em resposta "Não é à toa que você acha que teve um dia ruim", poderia começar a se sentir melhor.

Se, por outro lado, seu parceiro ou parceira começar a resposta com algo como "Nesse caso, você deveria...", e lhe der um conselho, você provavelmente vai se sentir pior. Se ouvir uma resposta como "Olha que esquilo bonitinho na janela", você vai querer parar de falar sobre o problema — afinal de que adianta? O esquilo pode até ajudar você a esquecer que está infeliz, mas, como os sentimentos não foram trabalhados, eles vão voltar.

Lembre-se disto: quando um filho, seja um bebê, uma criança ou um adulto, ou mesmo um companheiro ou uma companheira lhe confidenciar um sentimento doloroso, embora possa parecer que reconhecer esse sentimento vai piorá-lo, você na verdade vai estar ajudando a pessoa a trabalhar essas emoções, e portanto a ajudará se sentir melhor.

Pode até ser bem fácil demonstrar empatia pelos seus filhos depois de um dia ruim na escola. Mas e se você realmente não gostar do que a criança está dizendo? Por exemplo: "Não gostei da bebê, quero que você leve minha irmã de volta pro hospital". Nesse caso, é ainda mais importante escutar, tentar entender e validar o sentimento. Diga: "Você está sentindo muito falta de passar um tempo só comigo ultimamente, por isso quer que a bebê vá embora", ou "Não é justo que todas as visitas fiquem babando na bebezinha e não prestem muita atenção em você". Ou até: "Como você se sente agora que é um irmão mais velho?". Aceite a resposta, qualquer que seja. Não adianta falar para a criança que na verdade ela ama os irmãos. Ela sabe como se sente e precisa de um ouvinte que saiba conter esses sentimentos.

A OBRIGAÇÃO DE SER FELIZ

O psicanalista Adam Phillips disse que a exigência de felicidade estraga nossa vida. Toda existência envolve dor e prazer e, se tentarmos expulsar e abafar a dor com prazer, ou então anestesiá-la ou criar uma distração para nós ou outra pessoa para que o sofrimento seja esquecido, não aprenderemos a aceitar e modificar os sentimentos negativos.

As pessoas costumam ter objetivos na vida e supõem que atingir esses objetivos vai torná-las "felizes". Às vezes pode ser, mas com frequência nossas suposições do que representa uma vida satisfatória estão erradas. Podemos nos deixar enganar de forma inconsciente por retratos de pessoas atraentes rindo e sorrindo em meio a uma arquitetura maravilhosa, carros reluzentes e objetos bonitos, e essas imagens nos condicionam a supor, sem expressar em palavras, que é isso o que queremos. Não existem anúncios publicitários mostrando pessoas comuns lidando com seus demônios, aprendendo a aceitar a dor inevitável e encontrando espontaneidade e alegria dessa forma.

Essa é uma verdade que deveria ser universalmente conhecida: quando tenta bloquear um sentimento "negativo", você remove os positivos também. Como o terapeuta Jerry Hyde diz: "As emoções não têm um console de mixagem — têm apenas um volume central. Você não pode diminuir a tristeza e a dor e aumentar a felicidade e a alegria. Se diminuir uma, diminui todas".

Antes de nossos filhos serem expostos à cultura do prazer pelas coisas, eles têm uma ideia melhor do que é satisfatório — a conexão. É a sensação de serem compreendidos, entendidos, pelos pais e cuidadores, e de encontrar sentido e significado em seu ambiente e, assim, se sentirem conectados com o mundo ao seu redor. Para ser entendida, a criança precisa que aceitemos todos os seus sentimentos — sua raiva, seu medo, sua tristeza e suas alegrias. Somos incapazes de fazer isso a menos que estejamos conectados com nossos próprios sentimentos.

Quando você deseja a felicidade dos seus filhos, independentemente daquilo que os deuses do consumismo enfiaram em nossa cabeça, isso provavelmente não tem nada a ver com comprar coisas. Não tem a ver com ser o mais inteligente, o mais rico, o mais alto ou o mais brilhante nem nada do tipo. O que importa é a qualidade dos relacionamentos deles.

O que aprendemos no convívio com pais e irmãos cria hábitos, um mapa para todos os nossos relacionamentos futuros. Se nos envolvermos em uma dinâmica na qual precisamos sempre estar certos, sempre ser os melhores, sempre ter o maior número de coisas materiais, sempre ter de esconder como realmente nos sentimos sem nunca ter nossos pensamentos e sentimentos aceitos como são, isso poderá frear o desenvolvimento da nossa aptidão para intimidade e nossa capacidade de sermos felizes. Validar os sentimentos dos nossos filhos, por outro lado, fortalecerá os laços entre nós e eles.

Hilary é uma mãe solo que administra um salão de cabeleireiro.

Tashi tinha três anos quando seu irmãozinho Natham nasceu, e eu fiz o que me aconselharam, comprei um presente do bebê para ela. Mas ela não se deixou enganar. "Um bebê pequeno não tem dinheiro e não sabe ir pra loja", ela disse. No começo, ela adorava ouvir que era uma irmã mais velha e tinha orgulho de falar isso para as visitas. Mas, depois de um tempo, a novidade de ter um bebê novo em casa se desgastou, e ela começou a fazer mais birras, se recusava a cooperar, voltou a fazer xixi na cama. No começo, com as minhas boas intenções equivocadas, eu falava que ela adorava ser uma irmã mais velha. Mas esse comportamento só foi piorando cada vez mais.

Uma noite, eu fiquei pensando depois de uma hora de dormir que foi exaustiva e, para ser franca, absolutamente horrível. Lembrei de quando minha irmã nasceu e como eu odiava aquilo — e me achava uma pessoa má por odiar minha irmã. Então, quando fui crescendo, tinha certeza de que era uma pessoa má porque todo mundo me falava que fui péssima com ela — mas eu não conseguia evitar. Para ser sincera, ainda me irrito com a minha irmã sem motivo.

Percebi que tentar forçar Tashi a gostar de Natham estava funcionando mal tanto para ela como para mim. Comecei a me sentir mal por ela. Decidi que me esforçaria para tentar entender seus sentimentos e articulá-los para ela, e tentaria fazer isso pelo tempo que fosse necessário para criar uma conexão, porque eu sentia que estávamos muito distantes uma da outra.

Na manhã seguinte, eu disse: "Você odeia que o Natham esteja aqui, não?". Ela não respondeu nada. E eu continuei: "Lembro que, quando sua tia nasceu, eu odiei muito também. E, assim como estou fazendo com você, todo mundo me falou que eu deveria adorar aquilo, e eu não adorava. Sinto muito, Tashi, por estar sendo tão difícil para você".

Naquele dia, quando ela se comportou mal, eu não dei bronca, só mantive a mesma postura: "Você não gosta de quando eu preciso dar comida para o bebê em vez de brincar com você. Desculpa, Tashi". Sempre que ela precisava me dividir, ou esperar alguma coisa, ou ser incomodada, eu descrevia como achava que ela devia estar se sentindo.

Tashi não ficou animada logo de cara, mas, na hora do lanche da tarde, seu comportamento tinha melhorado. Estávamos nos aproximando porque eu não estava confrontando seus sentimentos, estava seguindo a onda deles. Foi ótimo ter a cooperação dela de volta. Ela até começou a ajudar, buscando guardanapos e passando lencinhos e me dizendo quando Natham tinha acordado da soneca. Na hora de dormir, tivemos a primeira noite sem xixi na cama desde que Natham nasceu.

O que eu aprendi é que, quando uma criança sente alguma coisa, por mais inconveniente que seja, por mais que eu possa querer negar, preciso dar nome a esse sentimento, confirmar se entendi certo e validar como ela se sente. Um dia desses, precisávamos ir embora do parque e Natham, que agora tem três anos, queria ir uma última vez nas fontes depois que tínhamos acabado de secá-lo — o que significaria que ele entraria no carro encharcado. Minha mãe tentou convencê-lo de que ele não iria querer ficar molhado no carro, mas não deu nada certo. Eu a interrompi e falei para Natham: "Você realmente quer se molhar de novo, não? Sinto muito que esteja decepcionado". Ela ficou fascinada com a maneira como ele aceitou isso.

Também fico feliz em contar que, apesar das brigas entre Natham e Tashi, na maioria do tempo eles brincam juntos ou separados sem hostilidade.

Exercício: Sinta-se no lugar do outro

A prática de sentir o que outra pessoa sente se torna mais fácil quando surge uma situação real. Pense em uma pessoa ou grupo de pessoas que chegaram a uma conclusão diferente da sua em relação a alguma coisa — por exemplo, digamos que votaram em outro partido. Em vez de menosprezá-las como burras, pense nas suas circunstâncias, suas esperanças e medos. Coloque-se no lugar delas e tente entender por que chegaram a uma decisão diferente da sua. Sinta com elas o mesmo sentimento.

A empatia é um trabalho mais difícil do que pode parecer. Não é o mesmo que desistir de seu ponto de vista, e sim uma questão de realmente ver e entender por que o outro se sente assim e, o que é mais importante, sentir junto.

DISTRAÇÕES PARA FUGIR DOS SENTIMENTOS

A distração é uma das táticas favoritas dos pais para impedir os filhos de ter determinada experiência. É usada com frequência, mas raramente indicada. Afinal, a distração é um truque e, no longo prazo, essa manipulação não vai ajudar seus filhos a desenvolver a capacidade para ser felizes.

Se você olhar nos olhos de um bebê, não vai encontrar nada além de sinceridade. Acredito que nossos filhos, qualquer que seja sua idade, merecem o mesmo de nós. A distração não é uma atitude sincera da parte dos pais, é uma forma de manipulação. Também pode ser um insulto à inteligência da criança.

Que mensagem a distração transmite? Imagine que você caiu e ralou feio o joelho. Como se sentiria se, em vez de se preocupar ou se interessar pela sua dor, o sangue ou a vergonha, seu parceiro ou parceira apontasse para um esquilo ou prometesse que vocês poderiam jogar seu video game favorito?

Não que não exista lugar para a distração, mas, como tática de manipulação, não mesmo. Se, por exemplo, um filho seu precisa passar por um procedimento médico, pode ser uma boa ideia dizer que ele vai sentir menos se, em vez de se concentrar na injeção, prestar atenção nos dedos acariciando a testa dele. Nesse exemplo, você não está tentando enganá-lo — ele sabe o que vai acontecer —, só está oferecendo a distração como uma forma de conforto.

Seus filhos provavelmente vão tratar você da maneira como são tratados. Você não iria gostar se perguntasse sobre o boletim escolar e a criança apontasse para a janela e falasse: "Olha! Um esquilo!".

Também é uma boa ideia falar para as cuidadoras da creche e as babás dos seus filhos que você prefere que os sentimentos deles sejam compreendidos a ser motivo para inventar distrações. Distrair uma criança de um brinquedo que outra está segurando para evitar um conflito não vai ajudá-la a ser compreensiva, muito menos ensiná-la a negociar uma disputa. Não é evitando sentimentos difíceis que aprendemos a lidar com eles.

Além disso, se um filho quer algo que você não quer ceder, como a chave do seu carro, ele precisa aprender que não pode ter aquilo, e não ser distraído temporariamente por outra coisa. Precisa ouvir que você não gosta que ele brinque com a sua chave, em vez de alguma coisa como: "Aaaah, olha essa boneca". Em vez de distraí-lo, você pode ajudá-lo a enfrentar essa frustração dizendo: "Você está bravo porque eu não deixo você pegar a chave. Estou vendo que está irritado". Se mantiver a calma e souber conter os sentimentos do seu filho, ele vai aprender a entender os próprios sentimentos. Pode parecer um processo mais longo do que simplesmente distraí-lo com outra coisa além da chave, mas o tempo dedicado vai ajudá-lo a internalizar essas habilidades.

Se você se acostumar a distrair seus filhos do que sentem ou vivenciam, também estará involuntariamente desestimulando-os a aprender a se concentrar. Pense nisso da seguinte forma: se seu filho se machucou, foi magoado ou ouviu um não e você o distrair do que está sentindo, em vez de ajudá-lo a trabalhar esse sentimento, vai retirar o estímulo para concentrar a atenção dele em coisas difíceis. E você não vai querer que seus filhos se distraiam facilmente ao fazer uma tarefa difícil.

Mas acredito que o pior de tudo na distração indesejada é que se trata de um obstáculo para uma relação boa, aberta e próxima com seus filhos.

Um dos motivos para querer menosprezar o que uma criança sofre com distrações ou negando seus sentimentos é porque você vê a situação com os seus olhos, e não com os dela.

Por exemplo, se você, como adulto, não pode ir ao trabalho com a sua mãe, isso não é o fim do mundo. Mas, para uma criancinha, é como se fosse. Podemos também estar nos sentindo culpados por ser a causa dessa angústia, e pode ser mais confortável negar isso.

Então, o que fazer se um dos pais sai para trabalhar e a criança fica arrasada por isso? Se você é o pai que trabalha fora, saia com confiança. Os filhos terão mais chances de se sentirem seguros se o adulto se mostrar calmo, firme e otimista. É importante não sair às escondidas, e sim encarar o momento da partida com cuidado e gentileza. Se você entrar em pânico ao sair, a situação pode se tornar dramática demais, e isso não vai ajudar em nada a criança. Se ignorar a mágoa, você não vai agir como o espelho de que ela precisa. Reconheça o que a criança sente; ofereça um abraço e fale alguma coisa gentil como: "Você não quer que eu vá trabalhar, mas volto à tardinha".

Se você for a pessoa que fica com a criança, precisará compreender seu estado emocional. Isso significa reconhecer o que aconteceu, por exemplo dizendo: "Você não queria que a mamãe saísse. Você está triste". Se formos parar para analisar, é totalmente normal ficarmos tristes quando alguém que amamos vai embora. Você pode explicar quando ela vai voltar. "A mamãe vai chegar à tardinha." Não minta sobre quanto tempo a pessoa vai ficar fora, caso contrário a criança vai internalizar uma ideia distorcida de tempo ou simplesmente não acreditar em você da próxima vez.

Dê seu apoio à criança, e preste atenção e tome cuidado com seu próprio desconforto. Demonstre preocupação, mas sem exagero. Mantenha a calma e não deixe a criança chorando sozinha. Não a distraia, não tente fazê-la se calar, nem peça a ela que não sinta o que está sentindo. Depois de um tempo, ela pode encontrar uma atividade ou você mesmo pode sugerir uma, mas não enquanto a criança estiver concentrada em seu sofrimento. Pense em como se sentiria se estivesse sentindo falta de alguém que ama tanto que é como se não conseguisse viver sem essa pessoa, mas então vem uma outra e menospreza seus sentimentos sinceros e profundos em vez de os respeitar. Depois que você tiver se expressado, quando conseguir aceitar a situação, vai haver mais abertura para uma sugestão de atividade. Isso é muito diferente de uma pessoa pedir que você olhe para um boneco que faz uma dancinha engraçada no meio de um momento de angústia.

Exercício: Pense sobre a distração
Pense nas ocasiões em que você se sentiu mal. De quanto tempo precisou para expressar seus sentimentos, tentar entendê-los e se acostumar com eles antes de conseguir se distrair assistindo a um filme ou lendo um livro? Só porque as coisas que nos deixam chateados e as que entristecem nossos filhos são diferentes, isso não quer dizer que os sentimentos deles sejam menos intensos ou verdadeiros que os nossos.

Um bebê não sabe ser outra coisa além de puro sentimento. Com o tempo, a criança pode aprender a observar os próprios sentimentos como uma forma de contê-los — mas não tem como aprender isso sozinha. Ela precisa de alguém que a aceite e acolha todos os seus sentimentos nessa fase de desenvolvimento.

Por causa de nossa grande necessidade de querer que nossos filhos sejam felizes, às vezes os distanciamos da raiva ou da tristeza. No entanto, para uma boa saúde mental, as crianças precisam ter todos os seus sentimentos aceitos e aprender maneiras apropriadas de expressá-los — e isso também vale para nós, adultos. Por isso, é importante aceitar nossos próprios sentimentos em vez de negá-los, e é essencial aceitar nossos filhos com todos os sentimentos que possam vir a experimentar. Quando ajudamos uma criança a expressar seus sentimentos com palavras (ou desenhos), nós também a ajudamos a processá-los e a encontrar maneiras aceitáveis de comunicar o que sentem.

4. Criando os alicerces

GRAVIDEZ

Pode parecer estranho incluir um capítulo sobre o primeiro momento que passamos a nos ver como pais — a gestação — no meio deste livro. No entanto, mesmo se seu bebê já nasceu, ou até já se tornou um adolescente ou adulto, este capítulo pode lançar uma luz sobre a relação entre vocês, e o motivo para ser como é. Se existe algo na sua relação com seus filhos que parece empacado, as ideias neste capítulo podem ajudar a reparar isso. Se está perto de começar sua relação com um filho, pode ajudar a colocar você no rumo da relação de amor para a vida inteira que todos queremos.

Vejo muitos pais pensando na criação dos filhos em termos de eficiência e detecção e solução de problemas. Normalmente isso ocorre porque os pais são muito ocupados, têm uma vida agitada e foi isso que aprenderam com os próprios pais sobre lidar com crianças. É uma ideologia dominante, apesar de antiquada, que diz ser possível encaixar a criação dos filhos facilmente em um dia a dia corrido. Mas quase sempre há um preço a pagar por isso. Se não tratar seus filhos como pessoas, se não sentir junto cada sentimento em vez de tentar resolver as situações, quando tiverem se tornado adolescentes ou adultos e você quiser ter um bom diálogo com eles, poderá vir a descobrir que eles não são lá muito acessíveis.

Você pode achar que o estudo de caso a seguir, sobre uma mulher de 38 anos e sua mãe de 81, não é muito relevante em uma seção sobre gravidez. Mas, se você não fez isso ainda, a gravidez é um bom momento para refletir sobre suas relações com seus pais e pensar sobre o que deseja para sua relação futura com seus filhos. É o momento para pensar em como desenvolver um relacionamento sincero e aberto, que não seja confinado à representação de papéis.

Nós formamos laços com nossos filhos. Natalie, que me contou a história a seguir, tinha um com sua mãe. Mas um laço pode ser muito mais do que uma relação filial; pode ser uma conexão verdadeira, de gostar da pessoa além de amá-la. É isso que a sinceridade e a abertura podem proporcionar.

"Se você conhecesse a minha mãe", disse Natalie, "acharia que ela é uma pessoa muito agradável, encantadora até — e é mesmo. Só que não me sinto eu mesma quando estou com ela. Acho que deveria ver minha mãe com mais frequência, mas alguma coisa dentro de mim simplesmente se recusa a ir. Preciso me forçar a visitá-la."

Algo na relação que Natalie descreveu obviamente não estava funcionando. Em uma sessão posterior, Natalie refletiu um pouco mais sobre o que poderia ser.

Alguns anos atrás, decidi assumir uma postura com a minha mãe que, a meu ver, era um risco. Pensei que, se fosse mais sincera com ela, talvez ela fosse mais sincera comigo também. Então disse o que realmente estava sentindo, que eu vinha sofrendo períodos de depressão desde que meu marido e eu tínhamos nos separado. Minha mãe disse apenas: "Ah, já eu tenho uma vida muito feliz". E acabou por aí. A ficha caiu: percebi que meus sentimentos "difíceis" eram inaceitáveis para ela. Acho que ela negava até os próprios sentimentos "difíceis". Então, quando estou para baixo, talvez para ela pareça uma espécie de ameaça. Tentei discutir isso com ela, mas essa porta emocional estava totalmente fechada.

Quero ser carinhosa com a minha mãe, mas, depois de 38 anos, nosso relacionamento é distante, não vai muito além de conversas casuais. Ao que parece não conseguimos chegar a lugar nenhum.

Quando engravidei da Brigitte, sabia que não queria que ela me visitasse quando eu ficasse velha apenas por obrigação. Quero que minha filha queira me visitar — ou não — por escolha própria, e quero que ela possa ser quem é e compartilhar tudo que quiser compartilhar comigo. Pensei muito em como conseguir isso quando estava grávida. Imaginei que, se não me sentia eu mesma com a minha mãe, talvez minha mãe não se sentisse ela mesma comigo.

Podia parecer bobagem, mas tomei a decisão de nunca ser falsa com Brigitte, sempre ser eu mesma. Quando Brigitte nasceu e me deparei com a forte sinceridade que só um bebê consegue oferecer, soube que essa era a coisa certa a fazer. Decidi dar o meu melhor para retribuir esse presente que é a sinceridade. Claro, o nível a que isso chega tem de ser adequado à idade, sem dúvida.

Estou me esforçando muito para ser aberta e aceitar todos os humores de Brigitte, não apenas os sorridentes. E os meus próprios humores também. Agora sei como pode ser difícil ter um bebê que chora muito e é difícil de acalmar.

Quando isso acontece, provoca todo tipo de sentimento em mim. Me sinto inútil, sinto raiva — às três da madrugada já me viram sentar e chorar junto com ela. Mas sei que estou sentindo essas coisas, aceito e me esforço para agir de maneira carinhosa e amorosa, para tratá-la como eu gostaria de ser tratada se eu fosse o bebê em meus braços.

Tive de trabalhar para não me sentir um fracasso quando não consigo elevar o ânimo de Brigitte. Às vezes é difícil não tentar freneticamente resolver tudo que está errado, ainda mais quando o problema não é óbvio. Mas, em vez disso, tento estar com ela, ao lado dela, procurando entender.

Não estou dizendo que é fácil nem que consigo sempre, mas converso bastante e, quando estou com ela, estou totalmente presente. Não quero ser uma mãe de papelão de um manual de maternidade, quero ser eu mesma. Espero que isso ajude Brigitte a conseguir ser ela mesma comigo quando for mais velha.

Quando estamos esperando filhos, e depois que eles nascem, o melhor que podemos fazer é pensar no longo prazo. Isso significa que, desde o primeiro momento, não devemos ver nossos filhos — sejam eles bebês, crianças ou adolescentes — como uma boca para alimentar, um corpo para limpar e uma mente para endireitar, e sim como pessoas, indivíduos com quem vamos ter uma relação para a vida toda. É isso que nos proporciona a melhor chance possível de criar laços amorosos e fortes com eles.

Quando nos tornamos pais, começamos a criar um laço com nossos bebês, que pode ir se fortalecendo ano após ano. Inclusive, é na gravidez que as bases para essa relação são dispostas. Mesmo quando seu filho se tornar independente de você em aspectos práticos e tiver seu próprio círculo social e sua própria cara-metade, esse laço pode continuar a crescer, com vocês sempre acompanhando a vida e as preocupações um do outro.

MAGIA IMITATIVA

Como nossas relações com nossos filhos normalmente começam? Assim que a mulher anuncia que está gravida, recebe um mar de conselhos sobre como se alimentar, o que não beber — e o que não fazer em geral. Os conceitos em si variam de acordo com a cultura e a época, mas esse processo — de receber muitos conselhos — na prática é sempre o mesmo.

Um número tão grande de regras e conselhos a ser seguidos pode dar a impressão de que existe uma gravidez ideal... o que pode levar inconscientemente a imaginar que existem mães perfeitas que geram filhos impecáveis.

Acredito que essa linha de raciocínio pode interferir em nossa relação com nossos filhos, e não de maneira positiva. Pensar que a gravidez, o parto e a criação dos filhos podem ser otimizados de alguma forma nos faz correr o risco de achar que estamos trazendo ao mundo um objeto a ser aperfeiçoado, em vez de uma pessoa com quem se identificar. Seria melhor, em vez de ceder à ideia dominante e inviável de perfeição, se percebêssemos que a gravidez e a maternidade não são projetos, e sim, como sempre digo, o processo de trazer ao mundo uma pessoa com quem você vai ter uma relação de afeto e amor para a vida toda.

Existe um segundo motivo para você pensar em como reage a todas as regras e conselhos que pode receber sobre a gestação. Obedecer a todas as restrições e cumprir todas as precauções, embora algumas possam de fato ser úteis, pode nos dar uma falsa sensação de controle sobre a gravidez ou sobre quais cromossomos e doenças passamos para nosso filho.

Pense da seguinte forma: existem inúmeras regras sobre o que fazer ou não na gravidez, e elas variam de cultura para cultura. Mas os pais podem realmente entrar em pânico se acharem que não estão seguindo à risca os conselhos que ouvem. No Reino Unido, por exemplo, as gestantes são aconselhadas a evitar laticínios não pasteurizados. Se, sem perceber, você consumir um pouco enquanto está grávida, pode ficar apavorada achando que contraiu alguma coisa horrível que vai prejudicar seu bebê.

Sobre alguns riscos os pais são alertados; sobre outros, não. A verdade é que é impossível ter uma gravidez completamente segura. A gestação é, por sua própria natureza, um risco. Você pode ter um filho diferente da maioria das crianças, e que, portanto, não se encaixa nessa categoria rígida de "perfeição" — mas está criando uma pessoa para amar, não uma obra de arte.

Algumas culturas, como o povo kaliai de Papua-Nova Guiné, acreditam que, para a gestação ser bem-sucedida, o casal precisa ter o maior número possível de relações sexuais até pouco antes e talvez até durante o parto. Os kaliais também dizem que, se uma grávida comer raposas-voadoras, um prato comum em sua cultura, a criança vai nascer com uma deficiência mental ou ter o mesmo tipo de tremedeira que afeta esses animais.

Existem costumes e tabus parecidos em todo o mundo. Os antropólogos chamam isso de "magia imitativa": os sintomas são associados a alguma coisa que a mulher comeu ou fez durante o período de gravidez ou lactação. Quaisquer que sejam as regras que lhe falaram para seguir, sejam fatos cientificamente comprovados ou crendices baseadas em folclore, elas serão diferentes dependendo do lugar onde você vive, e estão sujeitas a constantes mudanças. Não estou sugerindo que você deva ignorar as recomendações médicas, e sim que leve em conta como se sente a respeito.

Você provavelmente vai se deliciar com a seguinte pesquisa da Universidade Yale: grávidas no último terço da gestação que comeram cinco ou mais porções de chocolate durante uma semana exibiram um risco 40% menor de desenvolver pré-eclâmpsia. E, ao que parece, há mais motivos para comer chocolate. Em 2004, Katri Räikkönen, da Universidade de Helsinque, pesquisou a relação entre a quantidade de chocolate que as mães consumiam durante a gravidez e o comportamento dos filhos. Quando os bebês tinham seis meses, seu comportamento foi avaliado em várias categorias, incluindo medo, facilidade de serem acalmados e frequência de sorrisos e risadas. Os filhos de mulheres que comiam chocolate todos os dias durante a gravidez eram mais ativos e sorriam e riam mais. Os níveis de estresse das mães também foram avaliados. Os filhos de mulheres estressadas que consumiam chocolate regularmente demonstravam menos medo em situações novas do que os bebês de mães estressadas que não comiam.

O problema de qualquer conselho é que, se chegar tarde demais, você vai achar que fez algum mal para seu bebê. Essa informação sobre o chocolate para mim não veio a tempo. Não como chocolate regularmente, e minha filha ria com frequência mesmo assim. A magia imitativa, seja baseada na tradição ou na medicina, pode ser reconfortante quando você a segue, mas gerar pânico em caso contrário. Como eu disse, temos menos controle sobre a gravidez do que gostamos de imaginar.

O estresse extremo (às vezes chamado de estresse tóxico) causado por trauma, como perigo físico constante na gravidez, tem um efeito prejudicial no desenvolvimento do bebê, assim como a desnutrição, e é claro que evitamos essas coisas se possível. O estresse normal, como ter um trabalho difícil ou resolver nossas diferenças com outras pessoas, provavelmente não vai afetar seu feto.

O risco de ter um filho com uma anormalidade ou de a criança não sobreviver existe. E muito provavelmente não há nada que se possa fazer para evitar, nenhuma magia que possa prevenir isso, nem deixar de comer raposa-voadora nem qualquer outra regra que você possa ter quebrado.

A magia imitativa que considero útil é pensar que sua experiência de gravidez influencia o feto, como se o ambiente do ventre estivesse contando uma história sobre o que o bebê vai encontrar quando nascer. Portanto, se você se divertir, se sentir relaxada, se alimentar bem e for otimista, a narrativa transmitida ao bebê é uma que ambos vão querer manter depois do parto.

Uma maneira de começar essa história é notar como você se sente ouvindo tantos conselhos sobre gravidez. Quando for possível, transforme esses sentimentos de medo em otimismo. Não acho que seja útil pensar em nosso bebê como algo que pode dar errado. Não creio que seja essa a maneira de construir as melhores bases para uma relação mutuamente satisfatória com uma pessoa nova. Criamos hábitos sobre como pensamos a respeito das pessoas, e seu feto é o ponto de partida de um indivíduo.

Concentre-se no que pode dar certo, e não nas histórias de terror que escuta. Ah, e o mesmo vale para as histórias de partos difíceis das pessoas. Estar de bom humor vai afetar seu bebê. Olhar na direção que você quer chegar em vez de se concentrar aonde não quer ir vai tornar sua perspectiva mais positiva e servir como uma base melhor para a relação de vocês. (Além disso, se acontecer o pior, ter morrido de medo do que poderia acontecer não vai aliviar nenhum sofrimento.)

O hábito do otimismo em relação aos filhos é uma necessidade. Pelo bem deles, precisamos acreditar que vão se desenvolver, aprender e pegar o jeito das coisas. Sei que é muito mais fácil conseguir algo quando alguém que admiro acredita em mim, e tenho certeza de que não sou nenhuma aberração por me sentir assim. Eu não poderia ter escrito este livro, por exemplo, se minha agente literária não tivesse acreditado em mim. Da mesma forma, seus filhos precisam que você acredite neles para que consigam se desenvolver. E esse hábito de otimismo pode ser criado durante a gravidez.

Antes de conhecer uma pessoa, às vezes ouvimos coisas a seu respeito da boca dos outros. Começamos a formar uma imagem dela antes mesmo de conhecê-la. Pense em como aquilo que ouvimos influencia nossa opinião. Gostamos de pensar que evitamos julgamentos até conhecermos as pessoas, mas, pela minha experiência, a maioria de nós não é assim.

Em seu livro *Origins*, Annie Murphy Paul descreve um experimento em que se pediu a 120 gestantes que descrevessem os movimentos de seus fetos. Se as mulheres sabiam se estavam esperando um menino ou uma menina, isso fazia uma diferença significativa na linguagem que usavam para descrever os movimentos que sentiam. Palavras-chave usadas para fetos do sexo feminino eram "suave", "deslizando" e "tranquila", ao passo que, para os meninos, as palavras eram "enérgico", "forte" e "chutando". A linguagem das mulheres que não sabiam o sexo do bebê não seguiu esses clichês. Esse é apenas um aspecto com o qual precisamos tomar cuidado para não carregar a criança de expectativas sobre o que elas são antes mesmo de chegarem ao mundo. Em vez disso, precisamos criar o hábito de observar em vez de julgar.

A maneira como você pensa sobre seu bebê na barriga vai influenciar seu laço com ele no futuro. Se criar o hábito de pensar no seu feto como um parasita, um invasor obstinado, um fardo, ou um amigo imaginário, um verdadeiro deus ou algo entre esses extremos, isso pode fazer diferença na sua relação posterior com a criança. Outro fator que também influencia é se você está apreensiva para conhecer seu bebê ou, como torço para que esteja, não vê a hora que isso aconteça.

Exercício: Como você pensa sobre seu bebê?
Observe-se enquanto pensa sobre o bebê na sua barriga. Reflita sobre a maneira como pensa nele e como isso pode influenciar sua relação futura. Isso vai colocá-la em uma posição melhor para escolher como começar a se relacionar com essa pessoa que ainda não conheceu.

Converse com seu feto, em voz alta, para ajudar a fortalecer seus laços. Os fetos conseguem ouvir a partir da 18ª semana de gestação. Você vai ouvir a si mesma e entender como está se relacionando com essa pessoa, o que pode ajudá-la a se tornar mais consciente sobre o que está trazendo para essa relação. Isso vai dar início ao hábito de conversar com o seu bebê depois que ele nascer também, bem como o de vê-lo como uma pessoa.

QUAL É SUA TRIBO?

Segundo um livro influente publicado pela primeira vez quase trinta anos atrás, mas que continua tão válido hoje como na época, existem dois tipos básicos de pais, reguladores e facilitadores. Em *Psychological Processes of Childbearing* [Processos psicológicos da gestação], Joan Raphael-Leff descreve como os reguladores tendem a ser mais adultocêntricos e focados na rotina, ao passo que os facilitadores são mais centrados na criança e se deixam levar pelo fluxo do bebê em vez de fazer com que a criança se encaixe no fluxo do casal.

Se você é um regulador, prefere colocar seu bebê em uma rotina. A filosofia do regulador é que as crianças se sentem seguras e protegidas se a mesma coisa for feita na mesma hora todos os dias, porque sabe o que vai acontecer e não há surpresas. Os pais também sabem e, se tiverem uma babá, ela também vai seguir essa rotina. As pessoas se deixam atrair por essa ideia quando se sentem amparadas pela ordem, por ter uma estrutura e saber o que vai acontecer e quando.

Ou você pode ser um dos facilitadores. Eles também acreditam que a previsibilidade é importante para a criança, mas, em vez de uma rotina previsível, sempre priorizam dar respostas previsíveis. Assim, o bebê aprende que suas indicações são respondidas e suas necessidades costumam ser atendidas, aprendendo que seu mundo é seguro, o que o faz se sentir protegido.

Não existe motivo para discutir qual opção é melhor, porque você vai ter uma inclinação a ser um ou outro, talvez por causa de sua cultura ou como consequência da criação que recebeu. Além disso, esses papéis são fluidos.

Com o primeiro filho, você pode ter sido um facilitador porque, quando existe apenas um bebê para cuidar, pode deixar que ele mostre o caminho, mas, quando vem outro, pode precisar de uma rotina para que as necessidades de todos sejam atendidas. Por exemplo, você não pode deixar o bebê dormindo se tiver de levar as crianças mais velhas à escola; o menorzinho vai ter de acordar e ir também.

Às vezes, um dos pais pode ser um facilitador, e o outro, um regulador. Se esse for o caso, não ajuda muito discutir para defender sua filosofia preferida na educação dos filhos. Citar fatos e dados e tabelas e estatísticas para apoiar seu argumento tende a manter vocês fixados em seus respectivos lados.

Você provavelmente acha que sua posição se baseia em fatos, e não em sentimentos — mas tendemos a procurar os fatos que combinam com nossos sentimentos, e não o contrário. Discuta essa questão com seu parceiro ou parceira em termos de sentimentos, não fatos, tentando não se ater ao que você acha certo ou errado. Sentimentos são sentimentos; nunca são certos ou errados. Admitir que sua tendência a uma posição de facilitador ou de regulador porque combina melhor com a sua personalidade, em vez de achar que sua posição é apenas para o bem da criança, pode ajudar você a se aferrar menos à sua opinião.

Qualquer que seja a filosofia que você pode ter mais inclinação a seguir, lembre-se de que a aceitação, o afeto e o carinho são as coisas que mais importam quando se trata de nossos filhos (e da maioria dos outros relacionamentos também).

Raphael-Leff notou que as mulheres com um perfil mais de facilitadora tendem a se deixar levar pelo tumulto emocional da gravidez, ao passo que a reguladora tende a resistir mais. Ela observou que a facilitadora se torna mais introspectiva, admirada com o milagre se desenrolando dentro de si, ao passo que a reguladora quer se ater à sua persona normal pelo maior tempo possível e não "ceder" a seu estado alterado. Pode inclusive ver a gestação como invasiva. Os tipos facilitadores são mais inclinados a ver o feto como um amigo imaginário.

Uma facilitadora sente que sua identidade é intensificada pela gravidez, ao passo que a reguladora pode se sentir de certa forma ameaçada. As facilitadoras podem ver o parto como uma transição mútua na vida dela e do bebê, mas uma reguladora pode encarar a ocasião mais como um acontecimento potencialmente doloroso. Menciono todas essas diferenças para ajudar a normalizar quaisquer sentimentos que possa estar tendo. Se a maior parte das gestantes e dos pais de primeira viagem que você conhece está do lado oposto no espectro facilitador/ regulador, pode surgir uma sensação de estar sozinha.

Existem muitos argumentos, costumes, tradições, orientações e livros defendendo cada lado para persuadir você que esse ou aquele jeito é o melhor, mas o que importa — o que importa de verdade — é que, facilitadores ou reguladores, centrados no adulto ou na criança, os pais sejam honestos com seus filhos e consigo mesmos. Isso significa reconhecer suas inclinações e seus sentimentos naturais. E reconhecer que vocês são assim por causa de suas inclinações naturais e dos seus sentimentos.

Exercício para mães durante a gravidez
    Note quais sentimentos a experiência de se tornar mãe está causando em você.
    Você está com pressa para virar mãe ou se sentindo com medo e querendo fugir?

Note quais expectativas você tem sobre ter filhos. Pense sobre controlar essas expectativas e note como estão influenciando a maneira como você age. Por exemplo, se você vive cheia de preocupações que começam com "E se...?", tente mudar esse "E se...?" por um "E daí se...". Se perceber que acha que as crianças precisam ser enganadas para se comportar bem, desafie esse pensamento e pense em termos de se identificar com elas em vez de as manipular. Pense em seu corpo como seu principal meio de comunicação com seu bebê, e visualize-o se tornando familiar e confortável para a criança, que por sua vez fica confortável com você. Comece a conversar com seu bebê; ele consegue ouvir. Alimente o desejo de conhecê-lo o quanto antes.

Se tiver um parceiro, faça esse exercício com ele e discutam juntos o que cada um descobriu.

Exercício para mães depois da gravidez

Se, depois de ler isso, você sentiu que sua atitude era "errada" na gravidez — por exemplo, estava extremamente estressada e emotiva, o que pode acontecer não apenas por causa dos hormônios, mas também porque existem outras coisas com o que se preocupar — perdoe-se imediatamente. Queremos encontrar sentido em nosso mundo, porque isso nos dá uma sensação de estar no controle, mas tente fazer isso de uma forma que não a deixe com a sensação de que você causou uma ruptura impossível de reparar. Por exemplo, pode haver a impressão de que você ou seu parceiro se preocupavam tanto durante a gravidez que isso causou os problemas atuais de concentração de um de seus filhos. Pode não haver nenhum fator ambiental para a criança ser como é. Observá-la no momento presente é mais útil para encontrar uma forma de ajudá-la do que pensar que o problema foi alguma coisa durante a gestação. Remedeie a ferida dessa gravidez estressante reconhecendo que você fez o que pôde na época com o conhecimento e os recursos de que dispunha. Repreender-se não ajuda ninguém.

O BEBÊ E VOCÊ

As páginas a seguir discutem seu primeiro contato com o bebê, o parto e como você pode se sentir nos primeiros minutos, horas, semanas e meses após dar à luz. Todas gostaríamos de ter um parto tranquilo e uma conexão instantânea, já que esse período nos é vendido como o momento maior e mais importante de nossa vida, porém não é nenhum conto de fadas, é a vida real. Isso significa que as coisas podem não correr conforme o planejado. Eu também diria que existe muita magia imitativa envolvida para nos fazer nos sentir seguras, nos fazer passar pelo parto e pelos primeiros dias. Procure ajuda quando precisar ou quiser — ninguém é capaz de passar por isso completamente sozinha — e, quanto aos conselhos, siga os que fizerem você se sentir mais reconfortada, em vez dos que parecerem exigir uma mudança muito radical. Dessa forma, você estará presente em sua vida como ela é, e não se sentindo como se houvesse algo de errado só porque a vida não está à altura de uma idealização perfeita.

FAÇA UM PLANO DE PARTO

Você provavelmente já pensou no tipo de parto que considera mais adequado, seja aquele com o maior alívio possível da dor, um em que você esteja boiando numa banheira ou algo entre esses dois casos.

E vale a pena reservar um tempinho para fazer uma pesquisa. Planeje o que lhe parecer mais desejável e menos traumático, pois é o que vai fazer com que você e seu filho tenham um bom começo.

Como tenho certeza de que você ouviu as histórias de outras mulheres, o parto do seu bebê pode não necessariamente seguir o plano. A anestesia epidural pretendida pode se revelar impossível, e um parto natural pode acabar se tornando uma cesariana de emergência. Mas o planejamento pode aproximar você do parto que deseja, desde que se mantenha flexível quanto à necessidade de possíveis mudanças. É um pouco como planejar a vida: tudo que você pode fazer é seguir na direção que deseja e ser flexível sobre o que não dá para controlar.

Quando fiquei grávida, eu queria um parto tranquilo, natural e pacífico e fiz um plano compatível com isso. Sim, era o que eu queria, mas o parto da minha filha foi um daqueles que fugiram do planejamento. O batimento cardíaco da bebê despencou — o cordão tinha dado três voltas no pescoço dela —, então foi necessário um procedimento de emergência, e a bebê teve de ser puxada às pressas por um extrator a vácuo. Mas muitos planos dão certo.

Minha bebê teve de ser levada para a unidade de terapia intensiva. Tive uma sensação de perda, porque eu e ela não estávamos tendo o contato de pele com pele que eu acreditava (e ainda acredito) ser tão primordial. Mas nós duas estávamos vivas. No fim não havia nada de errado com ela, mas a situação exigia precauções. Assim que consegui me levantar, encontrei a UTI e conheci minha filha. Por mais que tentassem, os funcionários não conseguiam me fazer sair. Contei essa história muitas vezes, e precisei fazer isso, porque foi um momento traumático para mim. Agora, mais de 25 anos depois, consigo falar a respeito sem ficar emotiva — mas demorou um bom tempo.

RELATAR A EXPERIÊNCIA DE PARTO

Quando estamos com um bebê no fim da gravidez e do parto, há uma sensação de que deveríamos nos sentir gratas, por mais traumática que tenha sido a experiência. Mas acredito que, além da questão da gratidão, é importante relatar a experiência, e quantas vezes for necessário, para recuperar uma sensação de equilíbrio. Isso pode ser parte do motivo por que, quando está grávida, às vezes a mulher ouve mais histórias assustadoras do que de partos que correram tranquilamente — porque as pessoas precisam falar a respeito.

Tornar-se mãe de primeira viagem pode ser avassalador por si só, e superar as experiências pelas quais se passa ao dar à luz, ainda mais. Mesmo que seja uma experiência linda e maravilhosa, também é um acontecimento importante e, portanto, conversar a respeito é uma necessidade.

Algumas mães se sentem culpadas ou decepcionadas por suas experiências de parto. Mas lembre-se: nada é perfeito. A vida inteira gira em torno de retomar o rumo toda vez que surge um desvio indesejado no caminho. O que importa não é o que acontece de errado, mas como vamos corrigir o rumo das coisas. E você começa a fazer isso quando aprende a conhecer seu bebê e formar esse laço.

Não sei se a separação depois do parto da minha filha aumentou minha ansiedade como mãe de primeira viagem ou tornou minha bebê mais inquieta naqueles primeiros meses. Talvez tivéssemos sido assim mesmo sem a separação logo após seu nascimento. Só sei que, naqueles primeiros meses, minha bebê era difícil de acalmar, e eu ficava apreensiva com isso. Minha impressão era que ela havia nascido angustiada. À medida que fui aprendendo a tranquilizá-la, também fui me acalmando. Portanto, se o parto foi traumático para ela (como foi para mim), com o tempo essa ruptura foi reparada, tanto para mim como para ela.

BREAST CRAWL

Vivemos com pressa em relação a nossos filhos. Temos pressa para entrar em trabalho de parto, para acelerar o nascimento, para amamentar o bebê, para que a criança durma a noite toda, desmame, sente, fique em pé, ande e fale, seja independente, compre uma casa, guarde dinheiro para a aposentadoria. Mas, se pararmos para observar o que nossos bebês conseguem fazer, podemos aprender a não ter pressa, e nossos filhos podem nos ensinar a viver mais no momento presente.

Um exemplo incrível disso acontece logo após o parto. Os bebês têm um mecanismo de busca pelo seio e conseguem encontrá-lo com menos ajuda do que você imagina. Chama-se *breast crawl*. Widström e outros no Instituto Karlonska na Suécia pesquisaram a respeito e descobriram que, quando um recém-nascido é colocado no abdome da mãe logo após o parto, ele consegue encontrar o seio da mãe por conta própria. Durante cerca de quinze minutos, pouca coisa acontece, então o bebê usa as pernas para se colocar na posição, alternando explosões de atividade com repouso.

Depois de mais ou menos 35 minutos, o bebê coloca a mão na boca e seu reflexo de apertar lhe permite chegar ao seio e estimulá-lo. Aos 45 minutos, começam os movimentos de sugar e se firmar. E, aos 55, o bebê encontra sozinho o mamilo e começa a mamar. Esses resultados foram repetidos em estudos subsequentes. Segundo indícios, se a mãe tiver líquido amniótico no seio, a criança consegue encontrar o caminho ainda mais facilmente.

Não surpreende que os bebês nasçam com esse impulso instintivo de buscar o mamilo, porque essa é a norma para outros bebês mamíferos. Assim como outros animais, os bebês têm uma grande variedade de reflexos naturais que facilitam a sobrevivência no mundo, sendo um dos mais óbvios ser capaz de chorar para dizer que precisam de companhia, de troca de fraldas, de ser pegos no colo ou alimentados.

Outro estudo mostrou que os bebês colocados em cima do corpo da mãe no contato de pele com pele choram menos do que aqueles em um berço perto da cama delas. Depois de 25 minutos, esses bebês que tiveram o contato direto choravam por uma média de apenas sessenta segundos, ao passo que os deixados no berço choravam pouco mais de dezoito minutos. De 55 minutos a uma hora depois, os bebês que fizeram o *breast crawl* com o contato de pele contínuo não estavam chorando, ao passo que o grupo controle chorou por mais de sessenta minutos. Depois de 85 minutos a uma hora e meia, os bebês que tiveram contato corpo a corpo choravam uma média de apenas dez segundos, comparados com mais de vinte minutos do grupo deixado em berços.

Ao que parece, nossos bebês conseguem fazer essas coisas tão naturalmente quanto qualquer mamífero, mas somos tão ansiosos que interferimos no processo. Há outras coisas que podem interferir também, como analgésicos ou um parto cesariano. Muitos bebês, incluindo muito provavelmente eu e você, tiveram esse começo de vida natural e autoinduzido negado... e alguns de nós mesmo assim viraram pessoas completas, equilibradas, plenamente funcionais e amorosas que conseguem estabelecer relações e amizades maravilhosas para a vida toda.

O que a pesquisa e a prática do *breast crawl* podem nos mostrar é que é bom observar nossos bebês e aprender o que eles sabem fazer e do que precisam por meio dessa observação. Quando os enxergamos, podemos seguir seus sinais em um ritmo de dar e receber mais natural do que meramente fazendo coisas para eles. Permitir que um bebê siga seus instintos para fazer seu próprio *breast crawl* ou qualquer outra ação natural, como olhar ou chorar para você, é respeitá-lo e confiar nele e, desde o princípio, ajudá-lo a descobrir que não é um objeto passivo, mas uma pessoa com poder de ação. Uma pessoa que está numa relação com você.

O LAÇO INICIAL

Ao longo da gravidez, seu corpo conta sua história e a do seu ambiente para seu bebê, por meio do que você está sentindo, do que come, dos sons ao redor e dos que vêm do seu corpo. Quando seu bebê sai do seu corpo, essa história continua.

Muitas mães sentem uma conexão e uma onda instantânea de amor pelo recém-nascido, como foi o caso de Emma.

Eu estava com medo de não criar um laço com meu filho, John, pois nunca me interessei particularmente pelo bebê de ninguém. Mas, assim que o colocaram em cima de mim, soube que ele era maravilhoso e o amei intensamente. Meu parto durou dez horas. Eu andei muito e usei uma banqueta de parto, que funcionou para mim. Foi doloroso mas, como as contrações vinham em ondas, tive um pouco de descanso entre cada uma. Acho que saber o que esperar ajudou muito. Eu tinha um pouco de energia e fôlego perto do fim. Depois que John nasceu, senti pena das outras mães porque os bebês delas não eram tão bonitos quanto o meu! Como me parecia uma experiência tão especial e única, não imaginei que a maioria das mães pensava e sentia o mesmo que eu. Não sabia que outras mães provavelmente estavam idolatrando seus próprios bebês e tendo pena do meu!

Uma reação como a de Emma provavelmente se deve a uma descarga de oxitocina, o "hormônio do amor". Algumas drogas administradas durante o parto, ou o choque e o trauma do processo, podem interferir na liberação de oxitocina — o que pode fazer com que esse impulso de amor, como Emma descreve, não seja sentido por você.
Esta foi a experiência de Mia:

Meu bebê, Lucca, nasceu por parto induzido. O parto foi extremamente doloroso, a pior dor que já senti. Não pude tomar a epidural porque o anestesista não conseguia colocar a agulha.

Quando Lucca nasceu, não senti nada além de choque. Minha mãe estava comigo, e pedi a ela que segurasse o bebê porque eu simplesmente não estava pronta. Depois, ele foi levado para a UTI neonatal, onde passou um dia.

Naquelas duas primeiras semanas, tive dificuldade até em acreditar que ele era meu filho. Pensei seriamente em fazer um teste de DNA, porque tinha certeza de que havia sido trocado na maternidade. De todo modo, agradeço a Deus pela minha mãe. Ela me escutou e ouviu minhas preocupações com calma e não discutiu com o que eu sentia. E disse que aquela sensação não duraria para sempre. Minha mãe passou um mês conosco. Dizia coisas como: "Ah, Lucca tem seus olhos", e "Ele é igual a você quando era bebê". E, aos poucos, comecei a criar um laço com ele também.

Foi só quando Lucca tinha uns seis meses que senti que nossa relação estava realmente consolidada. Eu o estava segurando na piscina em uma aula de natação para bebês, e ele estava batendo na água com o punho. Ele ergueu os olhos para mim e riu — e rimos juntos.

Aqueles primeiros meses foram difíceis, não vou mentir. Eu sentia que estava "fingindo" ter uma relação com ele, e isso me ajudou a ir levando, mas também me botou para baixo.

Não pense que você é uma aberração ou a "única" mãe a se sentir de uma maneira ou outra após o parto. O que você precisa é de alguém para ouvir e aceitar o que sente para que também possa aceitar seus sentimentos. Você precisa aceitar a maneira como está em vez de se repreender por não estar como acha que deveria. Isso foi importantíssimo no progresso de Mia para criar um laço com Lucca. A mãe de Mia não discutiu, nem falou que seus sentimentos eram inapropriados — simplesmente aceitou.

Exercício: Como seu bebê se sente

Deite no chão. Imagine como é se sentir solitário, com fome, com sede, incomodado nessa posição, mas não conhecer palavras ainda — nenhuma palavra em que pensar e nenhuma palavra com que se comunicar. Imagine como é ser apenas corpo e sentimentos, sem conseguir se sentar ou rolar para o lado ou ficar confortável. Tudo que você consegue fazer é experimentar sentimentos. Agora imagine como é se sentir resgatado, ser pego no colo, colocado em uma posição confortável, abraçado e se sentir parte de outra pessoa, embora ainda não tenha palavras, nem passado nem futuro, apenas o momento presente e um corpo e seus sentimentos.

APOIO: PARA CUIDARMOS, PRECISAMOS SER CUIDADOS

Pode ser difícil dar tempo, respeito e respostas afetuosas a uma criança quando não temos isso dentro de nós. Às vezes estamos apenas momentaneamente exaustos, mas também pode ser porque essas coisas não nos foram dadas por nossos pais. Para cuidarmos, precisamos ter sido cuidados. Mesmo levando isso em conta, você vai se surpreender com quantas reservas vai encontrar dentro de si e por quanto tempo podem durar. Mas isso não continua indefinidamente — portanto, caso sinta sinais de esgotamento, busque apoio.

Esse apoio pode vir na forma de ajuda prática para liberar você para dar mais atenção ao seu filho — ou dormir mais. Ou contar com alguém que escute e compartilhe de seus sentimentos enquanto você estiver no processo de dar o que acredita não ter recebido e não ter como oferecer. Escutar, e dar atenção sem julgar os sentimentos que ter um filho lhe causa — sejam quais forem —, não necessariamente precisa envolver um terapeuta profissional. Amigos e familiares também podem fazer isso, se puderem aceitar e se identificar com a ambiguidade natural de ter filhos. Precisamos lembrar que não são nossos sentimentos ou as coisas que nos pegamos imaginando que podem fazer mal aos nossos filhos, mas sim a maneira como agimos a partir delas. Pense no estudo de caso de Mark (ver p. 27). O fato de que ele queria fugir não afetou negativamente seu filho, porque ele não fez isso.

Esta é a história de Charlotte:

Eu tinha pensamentos muito assustadores sobre machucar minha bebê, Rosanne. Quando ela não parava de me acordar à noite de tanto chorar, eu me imaginava jogando-a pela janela ou chacoalhando-a. Esses pensamentos me perturbavam mais do que o choro em si. Eu sentia muita vergonha deles e pensava que, se contasse para alguém, tirariam Rosanne de mim. Então me torturava pensando que talvez ela devesse ser levada. A única vez em que senti algo assim foi quando pensei em matar os meus pais na adolescência. Aqueles pensamentos, porém, não eram tão intrusivos quanto os que eu tinha a respeito da minha filha. Eu achava mesmo que poderia perder a cabeça e machucá-la. Quando não aguentei mais, criei coragem e falei com a minha irmã. Ela me falou que todos se sentem assim de vez em quando e o que ela faz é simplesmente observar esses pensamentos, como se estivesse ouvindo uma pessoa irritante que você não tem a intenção de deixar que a influencie. O simples fato de ela me aceitar como normal e não achar que eu estava ficando maluca me ajudou muito, e acho que os pensamentos sobre machucar minha filha começaram a perder a força depois disso. E sei que posso falar com minha irmã de novo se eles voltarem. Queria ter feito isso antes.

Se, como pais, sentimos que não podemos falar sobre pensamentos, sentimentos ou elucubrações que não são ideais, eles podem se tornar mais intensos e difíceis de controlar. É importante poder falar a respeito, ter um lugar para dissipar sentimentos de maneira catártica, para que não os exteriorizemos à custa de nossos filhos.

O tipo de apoio necessário é alguém que escute você de verdade, que entenda o que quer dizer e saiba aceitar todos os seus sentimentos sem se oprimir, fazendo uma espécie de contenção pacífica dessas emoções. A tranquilidade dessa pessoa vem de saber que a ansiedade ou tristeza vai passar. Esse otimismo gentil pode ajudar você a superar a situação. Foi o tipo de ajuda que Mia, na seção anterior, recebeu da mãe e que a irmã de Charlotte lhe proporcionou.

Esse tipo de apoio é necessário porque o bebê precisa que você receba todos os sentimentos dele sem que isso se torne um fardo na sua vida. É sua função oferecer esse tipo de relação de apoio para seus filhos. E é difícil dar esse tipo de atenção a alguém a menos que você também a receba. Talvez você precise explicar para seus entes queridos que é desse tipo de ajuda que precisa.

Você também pode necessitar de ajuda prática. Algumas pessoas ao seu redor podem ser boas em adivinhar de que você precisa e estender a mão, mas, caso contrário, peça ajuda. Além disso, não são apenas as mães que precisam de apoio emocional, mas os pais também. Seres humanos não foram feitos para ficar sozinhos, mudos e fortes; somos animais sociais, membros de uma tribo. Reúna a sua para lhe ajudar. É muito mais difícil manter uma família hoje do que para a geração anterior à nossa, porque comprar ou alugar uma casa custa muito mais. Acredito que, enquanto esperamos que os políticos retifiquem essa injustiça, talvez as gerações mais antigas possam ajudar os novos pais financeira e emocionalmente.

Precisamos de ajuda para formarmos um laço melhor com nossos filhos, não para nos afastarmos deles. A história de Sheena dá um exemplo de como isso pode acontecer e como retomar o rumo caso aconteça. Sheena, uma cabeleireira que trabalhava em regime de meio período, já tinha dois filhos e estava grávida de gêmeos.

Quando faltava um mês para terminar a gestação, Sheena soube que um de seus bebês não estava se desenvolvendo e que precisaria se submeter a um parto induzido. Foi um procedimento traumático e perigoso tanto para Sheena como para os bebês. Um dos gêmeos, Charlie, nasceu bem; o outro, Ted, precisou de muita ajuda e teve de ser incubado. Sheena ficou no hospital com Ted, que estava fraco, enquanto Charlie foi para casa. Durante quatro semanas, Sheena ajudou Ted e cuidou dele até que pudesse sair do hospital. Seu marido, Judd, um músico de sucesso, trabalhava longas horas e vivia em turnê longe de casa, e não queria — ou talvez achasse que não podia — tirar um tempo de folga para se dedicar mais à sua família nessa época. Talvez também temesse que não fosse conseguir controlar suas emoções se encarasse o fato de que quase havia perdido a esposa e um dos filhos durante o parto. A ideia tão disseminada de que os homens precisam ser "fortes" faz mais mal do que bem, na minha opinião.

Quando voltou para casa, Sheena não conseguia aceitar o fato de que era mãe de gêmeos. Vivia pedindo à babá que eles haviam contratado que cuidasse de Charlie. Conscientemente, sabia que Charlie era seu filho, mas não sentia que fosse — ela o via como a responsabilidade da babá e Ted como a sua. Como isso era muito incômodo, ela preferia ignorar e fingir que não estava acontecendo nada.

Sheena se distraía mostrando para todos que estava bem. Saía com frequência para dançar até altas horas. Suas emoções vinham na forma de choques: o choque de ter gêmeos, o choque de um parto muito difícil, o choque de quase perder Ted e, pior de tudo, a sensação de Charlie não ser realmente seu filho. Quando sentia um desses choques, em vez de encarar o sentimento, chamava a babá e saía de casa para esquecer.

    Quando Charlie chorava, ela nunca queria reconfortá-lo. Se a babá não estava, chamava um de seus filhos, ou Judd, ou sua mãe, ou a faxineira — "Qualquer um menos eu", conforme ela contou depois. Seu jeito de consolá-lo era distraí-lo em vez de tranquilizar qualquer desconforto — não muito diferente de como estava tentando fazer consigo mesma quando era dominada por seus próprios sentimentos.

    Foi só quando Charlie tinha cerca de quatro anos que, emocionalmente, Sheena conseguiu aceitar que ele era seu filho. "Acho que passei mais de três anos em choque, mas só me dei conta quando comecei a superar", ela explicou.

    Que efeito isso tudo teve em Charlie? Agora, os gêmeos têm dez anos. Os outros filhos de Sheena, incluindo Ted, são tranquilos e despreocupados, mas Charlie é uma criança ansiosa e muito carente. Parece não sentir segurança em nenhuma relação e pensa que, para ser amado, precisa se esforçar muito. Sheena diz que Charlie fazia tudo por Ted, embora o irmão não retribuísse os favores, ao menos não até agora. Às vezes, amigos e irmãos entendem o desejo de Charlie de agradar como carência e o consideram irritante. Isso agrava o problema e faz com que ele se esforce ainda mais para fazer tudo pelos outros. Essa insegurança em relação aos relacionamentos muito provavelmente tem a ver com a separação inicial da mãe e com a falta de um contato mais próximo quando ela voltou para casa. Sheena diz que o único jeito de o deixar mais relaxado é passando um tempo a sós com ele — o que não é fácil para quem tem um emprego e quatro filhos. Uma vez por semana, porém, Sheena e Charlie fazem aulas de artes, apenas os dois. Sheena diz que está ajudando. Quando não tem aula por causa de algum feriado, ela faz questão que eles tenham suas duas horas juntos toda semana exatamente na mesma hora, para pintar juntos.

Perguntei a Sheena o que poderia tê-la ajudado a fazer as coisas de outra maneira no começo. Ela achava que, se o parto tivesse sido menos traumático, isso poderia ter amenizado o choque, que considera um dos motivos por que entrou em negação sobre ser mãe de gêmeos. Mas ela acredita que a principal causa da ruptura foi não estar com Charlie durante as quatro semanas após o nascimento. Quando chegou em casa, "ele não tinha o cheiro do meu bebê, mas Ted tinha". Ela também acha que, se tivesse feito terapia na época, teria conseguido enfrentar o que havia acontecido e conversar sobre o impacto de todos aqueles acontecimentos. Por mais que Charlie chorasse e quisesse ser visto por Sheena, ela também precisava ser vista e entendida. Como não conseguia acolher seus próprios sentimentos, tinha dificuldade para sentir os dos outros, especialmente os de Charlie. Não compartilhar dos sentimentos dele tornava mais fácil para Sheena se distrair e se afastar, deixando-o aos cuidados da babá.

Sheena ama e venera Charlie hoje em dia, e adora o tempo que ela tem só com ele. Passando o máximo de tempo possível com ele, ela está consertando a ruptura inicial. Quando estamos criando filhos, só nos resta torcer pelo melhor e, como sempre repito, para ter bons relacionamentos, não são tanto as rupturas que contam, mas a maneira como são reparadas.

Agora que o laço entre Sheena e Charlie está se consolidando, a segurança de Charlie em suas próprias relações está se desenvolvendo. Conforme sua ansiedade for diminuindo, sua alegria vai aumentar. Porque a boa notícia é que, embora nunca voltemos a ser as esponjas que éramos quando bebês, não somos feitos de pedra. Nós nos formamos nos relacionando com os outros e podemos nos reformular da mesma forma, em qualquer momento da vida. Se Sheena não tivesse tratado essa ruptura inicial com Charlie, é possível que, quando ele ficasse mais velho, suas relações românticas pudessem seguir o mesmo padrão de insegurança e, para ele, o amor seria sempre mais a dor do querer do que uma união feliz.

Um dia, Charlie pode precisar de mais ajuda para desenvolver confiança nos seus relacionamentos e se angustiar menos. Pode ser necessário que seus pais lhe contem a história do começo de sua vida para que ele possa entender por que se sente dessa forma. Isso vai ajudá-lo a saber que isso que sente não é culpa sua, e muito menos que seja menos digno de amor do que os demais — a questão é que, quando somos bebês, somos muito impressionáveis.

O marido de Sheena, Judd, não notou que ela não havia criado um laço com Charlie. E ele também não tentou desenvolver um. Caso tivesse assumido o papel de cuidador principal desde o nascimento de Charlie, em vez de depender apenas da babá para atender a todas as necessidades do filho, creio que o menino teria desenvolvido mais segurança em sua forma de se relacionar. Sou completamente a favor de contratar ajuda extra, mas as crianças precisam de um laço primário com seus pais.

Não estou contando essa história para condenar o comportamento de Sheena e Judd. Ele estava apenas fazendo o que os homens de sua família, e muitos do passado, sempre fizeram — deixar o cuidado inicial dos filhos para as mães e empregadas. É difícil romper esses padrões culturais, a menos que tenhamos consciência suficiente para enfrentá-los, porque são arraigados de maneira muito profunda. Sheena provavelmente aprendeu seu padrão de lidar com sentimentos difíceis, se distraindo em vez de lidar com suas emoções, porque as primeiras pessoas que cuidaram dela haviam tentado animá-la. Assim como seu marido acreditava que a criação dos filhos não é função do homem, é fácil acreditar que uma maneira de agir é "natural", sendo que não passa de doutrinação. E esses comportamentos adquiridos, por sua vez, podem atrapalhar nossas relações com nossos filhos. Não é uma questão de sermos "bons" ou "maus" pais — todos fazem o seu melhor —, mas, se conseguirmos ter o máximo de consciência possível dos efeitos e das convicções de nossa cultura e criação, conseguimos fazer reparos que podem levar a uma maneira mais funcional de seguir em frente.

A maioria dos pais precisa de ajuda com os filhos, seja de parentes e, seja de babás, para que possam trabalhar ou até mesmo tomar um banho. No entanto, as pessoas mais importantes na vida de uma criança devem ser os pais (e lembrem-se: por "pais", estou me referindo aos principais responsáveis pela criança, portanto podem ser pais adotivos, os guardiões, padrastos ou madrastas, e não as pessoas que de vez em quando ajudam a cumprir essa responsabilidade). Todos precisam de um laço primário como uma âncora na vida. Empregados vêm e vão e, se isso romper um laço primário, podem surgir efeitos negativos mais adiante. Além disso, as crianças precisam sentir que são uma prioridade para seus pais, em especial nos primeiros anos de vida.

Precisam sentir que são pessoas com quem os outros se identificam, e não obrigações a serem delegadas.

Exercício: De que apoio você precisa?
Escreva seu nome ou desenhe um símbolo para representar você no centro de uma folha de papel. Ao seu redor, escreva ou desenhe sua rede de apoio. Pense em quem vai lhe dar apoio naturalmente e para quem será necessário pedir. Por exemplo, sua mãe pode aparecer e fazer as perguntas certas e escutar e se oferecer para pagar seu aluguel por um ano; sua irmã pode cozinhar suas refeições sem reclamar muito; seu parceiro ou parceira pode ajudar a lhe fazer companhia, manter a casa limpa e a família financeiramente estável. Para outras coisas, pode ser preciso tomar alguma atitude, como criar ou entrar para um grupo de pais em situação parecida com a sua ou procurar ajuda profissional se for o caso. Desenhe seu diagrama usando linhas sólidas se o apoio for acontecer naturalmente e linhas pontilhadas se for necessária alguma iniciativa sua. Pense nos tipos de apoio de que precisa — emocional e prático. Observe as lacunas em seu diagrama de apoio, depois tome providências para eliminá-las.

E os pais podem precisar de apoio não apenas logo após o nascimento de um bebê, mas em qualquer momento enquanto seus filhos são dependentes. Portanto, este exercício pode ser repetido de tempos em tempos para que você possa garantir que tenha a ajuda de que precisa para desenvolver as melhores relações possíveis com seus filhos.

TEORIA DO APEGO

COMO É SER UM BEBÊ?

Você tem uma vantagem enorme em relação ao seu bebê; tem uma certa ideia do que esperar ao ter um filho. Pode ter visto seus pais cuidando de seus irmãos mais novos, observado outros pais com suas crianças, lembrar de como se sentia quando era criança, ter lido blogs e livros sobre como criar os filhos e, o mais importante, você já foi um bebê. Sua experiência está relegada à memória inconsciente, mas ainda está lá.

Um bebê, por outro lado, não faz ideia de como é ter pais. Eles nem mesmo foram um bebê antes. Tudo que um bebê vive é sua primeira experiência. É quase impossível imaginar como é isso, mas leve em conta esse fato. A primeira impressão é a que fica. Hoje em dia, como adultos, temos menos oportunidades para primeiras impressões. Quando conhecemos alguém novo, criamos uma impressão a respeito dessa pessoa, mas ela não vai fazer muito para mudar nossa visão da humanidade em geral, consolidada muito tempo atrás.

Se você viaja para um lugar novo, as pessoas são simpáticas e o clima está exatamente como você gosta, provavelmente vai associar coisas boas a esse local e pensará nele com carinho. Da mesma forma, a vida será mais fácil para um bebê se sua primeira impressão do mundo for de um lugar seguro e amoroso, onde se sente bem. Quaisquer que sejam as calamidades com que se depare ao longo da vida, será menos provável que perca o rumo, e ele vai se recuperar mais rapidamente se sempre tiver sentido que era importante, que tinha um lugar no mundo e que era digno de ser amado. Se essa sensação não for transmitida ao bebê pela primeira pessoa que cuidou dele — você —, vai receber um outro tipo de mensagem.

Imagine estar em um deserto de repente. Sem comida, sem abrigo, sem nada para beber e, pior de tudo, completamente só. Como você se sentiria depois de uma hora? E depois de duas? E se, ao longe, você visse algumas pessoas? Com certeza faria de tudo para chamar a atenção delas. Ficaria gritando e berrando e acenando. Entraria em desespero. Talvez um bebê se sinta um pouco assim.

Um bebê sai do ventre, um ambiente sincronizado pela natureza para atender às necessidades dele, para o mundo exterior. Depois do nascimento, vai precisar avisar para nós quais são essas necessidades. Cabe a nós interpretar os sinais corporais do bebê para decifrar do que ele precisa. Toda vez que ele consegue se comunicar e conseguimos responder de maneira apropriada, é como se aquela pessoa no deserto conseguisse chamar a atenção de quem passava e fosse resgatada.

Se estar a sós no deserto fosse sua primeira experiência na vida, você formaria suas visões de mundo e sua personalidade pela maneira como as pessoas que cruzaram seu caminho responderam aos apelos. Se essa resposta foi sincronizada ou defasada; se você teve de gritar por muito tempo até ser resgatado; se suas necessidades foram entendidas e saciadas rapidamente. E, talvez mais do que tudo, o tempo que passou na solidão quando queria companhia vai instaurar um sentimento, um humor profundo dentro de você, que se tornará sua personalidade habitual por um bom tempo, até acontecerem experiências suficientes para mudar isso.

Os bebês vêm ao mundo pré-programados para formar apegos — laços — com as pessoas. O fato de as pessoas desenvolverem apegos fáceis, íntimos e amorosos, apegos carentes, pegajosos e complicados, ou de terem dificuldade em criar qualquer forma de apego, ou de se enganarem dizendo a si mesmas que estão bem sozinhas, de acordo com a teoria do apego, tem origem em como os outros se relacionavam com elas quando eram bebês. Os quatro estilos principais de formação de laços são: estilo de apego seguro, estilo de apego inseguro/ambivalente, estilo de apego evitativo e estilo de apego desdenhoso. O que você quer com seu bebê é estimular um estilo de apego "seguro". E, para isso, vale a pena pensar sobre o estilo de apego que você teve em relação aos seus cuidadores. Se não tinha um laço seguro, você precisa agir de forma mais atenta, autoconsciente e deliberada em relação ao seu bebê para criar esse laço do que se respostas sintonizadas e empáticas vierem de forma natural.

ESTILO DE APEGO SEGURO

Se, quando era bebê, suas necessidades de proximidade e alimento eram atendidas constantemente, é provável que você tenha crescido com a sensação de que as pessoas em geral são boas. Isso significa que você consegue confiar, se dar bem com os outros, se sentir otimista de maneira geral e se relacionar sem dificuldade com as pessoas. Tudo isso ajuda a ter uma vida agradável. Pensar em si mesmo como uma boa pessoa e nos outros da mesma forma também maximiza sua sorte na vida. É como se, quando caiu no deserto, sempre houvesse alguém para pegar você, e não fosse preciso se esforçar muito para chamar a atenção das pessoas, elas estavam sempre lá para dar seu apoio — em pouquíssimo tempo, a sensação de solidão desaparecia.

É isso que devemos almejar. Às vezes os pais se preocupam porque, passados alguns meses, os bebês podem de uma hora para outra se tornar carentes. É muito comum que queiram apenas você e se recusem a ir voluntariamente para o colo de outras pessoas. O motivo para isso é porque sentem um apego seguro — algo bom —, mas ainda não desenvolveram o que os psicoterapeutas chamam de "permanência do objeto", ou seja, a capacidade de sentir que alguém ou algo existe mesmo quando não está por perto. Se você continuar atendendo às necessidades de seu bebê com a mesma frequência, ele desenvolverá a permanência do objeto mais cedo ou mais tarde, e essa fase vai passar. Não gosto de estimar a idade em que isso acontece porque, para alguns vem antes, e, para outros, depois.

ESTILO DE APEGO INSEGURO/ AMBIVALENTE

Se, quando bebê, suas necessidades eram atendidas de maneira inconstante, se você costumava ter de gritar muito e por um longo tempo para conseguir atenção e às vezes, ainda assim, não conseguia, é provável que você considere que sempre será ignorado, negligenciado e que precisará fazer muito barulho para ser notado. Você não vai conseguir confiar em quem está ao seu lado. Pode não se ver como uma pessoa boa em termos gerais, tampouco vai presumir que a maioria das outras pessoas seja. É como se tivesse de ficar pulando muito tempo no deserto para atrair a atenção daquelas pessoas e, muitas vezes, elas seguiram adiante sem você. Embora suas primeiras experiências costumem definir sua estrutura, é possível desenvolver um estilo de apego seguro se uma experiência sistematicamente positiva acontecer com frequência bastante para suplantar os padrões iniciais de relação.

ESTILO DE APEGO EVITATIVO

Se você costumava ser deixado chorando e, muitas vezes, ninguém atendia aos seus gritos, sua tendência é desistir. Seu sistema de crenças internas e seu mantra se tornaria: "Eu não recebo atenção, então de que adianta tentar?". Você não acreditaria que exerce influência sobre as outras pessoas, não sentiria que tem a compreensão delas e cresceria se imaginando como um ser solitário. Quando as pessoas passam por você no deserto, uma hora vai parar de acenar para chamar a atenção porque não vê motivo — e elas provavelmente pensam que, como não está gritando e acenando, não precisa delas. A desvantagem desse estilo é que, mais adiante na vida, você não consegue deixar as pessoas se aproximarem. Assim como o estilo de apego inseguro, com muita prática e trabalho, é possível se esforçar para mudar.

ESTILO DE APEGO DESDENHOSO

Imagine que estava naquele deserto e as pessoas não costumavam parar ou então, se paravam, em vez de atender às suas necessidades, esperavam que você atendesse às delas ou abusassem da sua boa vontade, não lhe davam alimento ou até partissem para a agressão física. Imagine o efeito que isso teria em seu sistema de crenças e como seria a sua relação com as outras pessoas. Você provavelmente veria os outros como causadores de mágoas e desenvolveria pouca ou nenhuma empatia e uma consciência moral instável.

Exercício: Qual é seu estilo de apego?
Você consegue descobrir que tipo de estilo de apego formou em relação a seus cuidadores? Consegue retraçar como esses padrões de apego foram passados pelas gerações de sua família até você? Se considera que tem um estilo de apego inseguro, evitativo ou desdenhoso, o que acha que vai fazer de diferente com seu bebê comparado ao que foi feito com você? Se você se sente confortável com seu estilo de apego, de onde acha que vem essa sensação de segurança? Como vai replicar isso com seu bebê?

CHOROS COERCIVOS

Você provavelmente ouve os choros de seu bebê como uma exigência. Isso é porque o bebê tem o que chamamos de choro "coercivo". As pessoas, assim como todos os mamíferos, são biologicamente programadas para responder a choros coercivos — eles são essenciais para a sobrevivência da espécie. O choro é como um alarme, como uma zebra em uma manada que nota um leão e comunica isso para o bando, que reage imediatamente. É inevitável obedecer.

As emoções de um bebê tendem a não ser sutis; quando se sente desconfortável, seu grito é de desespero. Isso ocorre porque ele está desesperado. Ajuda se você souber que desejos e necessidades são a mesma coisa para um bebê. Ele não consegue sobreviver sem você.

Se tentar ignorar um choro coercivo, terá de desativar duas partes de você para isso, ir contra a sua própria natureza. Também vai comprometer o desenvolvimento do seu bebê, porque a companhia íntima é fundamental para os pequenos e para o laço entre vocês. O cérebro dos bebês não se desenvolve por si só, mas em relação a outros cérebros no ambiente. Nosso cérebro continua se desenvolvendo em relação àqueles ao nosso redor até o dia em que morremos, mas aqueles primeiros dias, meses e anos são quando a maioria das conexões se forma e, por isso, os bebês precisam que estejamos perto e disponíveis para nos identificarmos.

Se as pessoas não respondiam a você de maneira automática e natural, se render a esse processo de ouvir e reagir ao choro coercivo vai lhe provocar certos sentimentos. Repito esse alerta com frequência, mas, se você sentir algo entre os extremos do incômodo e do desespero em resposta a ter um filho, procure ajuda. Você precisa do auxílio de alguém para conter esses seus sentimentos sem se deixar afetar por eles, para que então você consiga conter os sentimentos do seu bebê.

Quando os bebês se sentem inseguros e insatisfeitos em sua angústia, o que parece acontecer é que eles se dissociam, se isolam de seus sentimentos. Podem parar de chorar, mas, como mostram os estudos, os níveis de cortisol dos bebês que são deixados desassistidos até dormir permanecem tão altos como quando estavam chorando. Dissociar-se da angústia é um mecanismo de sobrevivência dos mamíferos, um reflexo, mas o lado negativo é que as pessoas sentem flashbacks desses sentimentos de que se afastaram. Dissociar-se de uma memória deixa as pessoas sem nenhum mecanismo de controle sobre quando a acessam, e essa lembrança pode voltar para assombrá-las como se tivessem surgido do nada.

Se você está passando por sentimentos difíceis com seus filhos, pode não saber o porquê. O motivo é que ter um filho pode desencadear todos os sentimentos dissociados da infância, o que pode ser incômodo, desconcertante, distrativo e estranho. Os gatilhos podem ser sutis, mas esses sentimentos são desencadeados ainda assim.

Se você treinar seu bebê a não chorar deixando de responder aos seus apelos, está fazendo com que a criança se dissocie de seus sentimentos. Ela pode parecer bem, mas esses sentimentos podem emergir mais adiante na infância e/ou na fase adulta. Não acho que seja um risco que valha a pena correr, ainda mais porque reagir a um choro coercivo não produz nenhum efeito negativo.

Se tinha o costume de deixar seu bebê chorar por longos períodos quando era pequeno porque achava que era o melhor para ele e para você, o que escrevi pode lhe provocar medo ou raiva. Não adianta nada se repreender — ou me repreender — agora por isso. Para reparar a situação, você pode começar a levar os humores dos seus filhos a sério, sem considerá-los desimportantes ou tolos, e mantê-los por perto quando quiserem proximidade. Você pode até contar para eles o que fez e por que, explicando que não foi culpa deles. Se seus filhos forem assombrados por sentimentos difíceis que parecem vir do nada e que eles não conseguem entender, contar pode ajudá-los a entender o que sentem. Ter seus sentimentos levados a sério pelas pessoas é reparador para crianças (ou adultos) de qualquer idade e, se essas pessoas forem seus pais e não agirem de maneira defensiva nem acusadora, trata-se de um remédio realmente poderoso.

Nunca poderemos nos sincronizar com nosso bebê de maneira tão perfeita quanto a natureza no ventre. Haverá desentendimentos e rupturas inevitáveis. O que podemos fazer é tentar, até onde for possível, cuidar, responder e reagir de forma apropriada para facilitar o desenvolvimento da sensação de segurança de nossos filhos e tornar tão tranquila quanto possível a transição do útero para o mundo exterior. Os gritos do seu bebê são os choros coercivos da natureza. A solidão é um sentimento como desconforto, sede ou fome, e precisa ser tratada para que o indivíduo se mantenha saudável.

HORMÔNIOS DIFERENTES, DIFERENÇAS EM VOCÊ

Durante a gravidez e depois do parto, você pode ter a impressão de que tudo que já sentiu na vida foi multiplicado por dez. Victoria está grávida de nove meses de seu segundo filho. "Eu estava assistindo à patinação de velocidade no gelo nas Olimpíadas de Inverno, e a mulher por quem estava torcendo caiu e ficou fora da corrida. Desatei a chorar. Eu não sou assim. Não costumo ser tão emotiva."

Bom, você podia não ser assim, Victoria, mas agora é. Se você sente as coisas com mais intensidade, não precisa pensar que exista algo de errado. Não é que você esteja ficando maluca. E, embora seus sentimentos possam parecer exagerados, isso não significa que não importam, nem que aquilo que os desperta não seja relevante para você. Por exemplo, ficar chateada por ver uma esportista dando seu melhor e acabando fora da corrida pode ser uma metáfora dos seus próprios receios, de modo que seu choro por ela pode lhe dar um escape de que você tanto precisa. E, quando a atleta se levanta e se mostra pronta para a corrida seguinte, ela vira um bom modelo para você.

Os hormônios, ou qualquer que seja o gatilho para essa intensificação de emoções, fazem os sentimentos parecerem vir do nada, mas na verdade são apenas uma exacerbação do que você já sente. E ter sentimentos assim afinados vai ajudar você a responder mais prontamente às suas próprias necessidades e às do seu bebê.

SOLIDÃO

O bebê pode não ser o único atormentado pela solidão. Embora você tenha passado nove meses se acostumando com a ideia, tornar-se mãe acontece da noite para o dia. E, conforme sua vida antiga fica para trás e a nova começa a criar raízes, a solidão é um perigo real. A menos que você esteja no centro das atenções de uma família ou de outro grupo que seja geográfica e emocionalmente próximo, é normal se sentir solitária ao virar mãe de primeira viagem.

Juli tem 32 anos e uma filha. Johann, o pai da bebê, a deixou quando a bebê tinha dois meses. Juli me disse: "Eu achava que não iria passar por isso sozinha, mas, assim que Sophie nasceu, ele foi embora". Ela ficou chocada, apavorada — e se sentindo muito só. A solidão é um sentimento que aflige muitos pais, mesmo se não tiverem sido deixados pelo parceiro ou parceira. O que fez Juli se sentir ainda mais solitária foi que seus pais pareciam não enxergar, ou admitir, que ela estava perto do seu limite.

A solidão costumava ser associada a pessoas com habilidades sociais insuficientes ou de temperamento um pouco estranho, por isso ainda é atrelada a estigma e vergonha. Mas não deveria ser: a solidão afeta todos. É sentida de maneira tão forte porque está dando um alerta sobre o que você precisa fazer: encontrar companhia. Os humanos não devem viver isolados; somos animais sociais. Sentimos fome quando precisamos comer, dor física quando precisamos sair do fogo, e solidão quando precisamos estar com outras pessoas e ser vistos e aceitos. A solidão é um sentimento necessário, assim como sede e fome. Ignore-o por sua conta e risco, e pode ser uma grande causa de deterioração mental e física.

Quando ficamos solitários, conseguimos sentir como isso nos faz mal, então por que não participar de um grupo de apoio ou fazer novos amigos? Infelizmente, não costuma ser tão fácil assim. Juli estava exausta, e tomar uma atitude a respeito de sua solidão parecia mais um trabalho para o qual não tinha energia. Mas existe outro motivo por que lidar com a solidão parece tão difícil. Os sentimentos de solidão desencadeiam um estado de hipervigilância a ameaças sociais e rejeição, nos tornando hipersensíveis à possibilidade de rejeição ou frieza. E, quando estamos esperando uma ameaça social, podemos nos comportar de maneiras que acabam tornando mais provável uma rejeição. Por mais que possamos nos sentir à margem, temos medo de voltar a nos colocar no centro para evitar ser repelidos — e, assim, nos afastamos ainda mais das pessoas. É assim que pressupor a rejeição se torna uma profecia autocumprida.

A confiança de Juli despencou depois que seu parceiro a deixou e ela começou a se ver como "imprestável". A ideia de entrar para um grupo de apoio ou ir às sessões de canto de mães e filhos de que ficou sabendo através de anúncios só a fez se fechar ainda mais em casa e não sair nunca. Não são apenas os humanos que se sentem dessa forma; se você isolar qualquer criatura social de seu grupo, ela vai ficar receosa de retornar ao grupo ou de se juntar para um grupo novo por medo de ser rejeitada e acabar ainda mais isolada. Pesquisas mostram que ratos e até moscas, depois de serem separados do grupo, não voltam diretamente para o âmago da convivência, mas permanecem às margens. Temos uma vantagem sobre os ratos e as moscas: podemos usar o raciocínio para contornar nossos instintos e conseguir aquilo de que precisamos. No entanto, parece difícil e inventamos todo tipo de desculpa para não fazer isso. É normal sentir que você não se encaixa em um grupo novo e inventar e encontrar motivos para isso; os mais comuns são pensar que você é inferior de alguma forma ("Todos sabem o que estão fazendo e eu não") ou superior ("Não quero entrar para um grupo de pais que só vão ficar conversando sobre desmame e sonecas"). Pode parecer surpreendente que alguém como Juli, que era uma profissional competente de RH até alguns meses antes, não conseguisse entrar para um grupo de apoio, mas não é. Pessoas em isolamento têm mais probabilidade de menosprezar a ideia de interação social pensando que, de alguma forma, são melhores ou piores do que as outras e, assim, arrumam um pretexto para não tentar. Esses dois tipos de comportamento — "Sou boa demais" e "Não sou boa o suficiente" — levam a uma espiral de retração e intensificam a sensação de isolamento social.

Foi um grande passo para Juli admitir a solidão e se convencer a entrar para um grupo de apoio a fim de combater isso.

> Entrei para um grupo de apoio de amamentação que encontrei no Facebook que fez uma diferença enorme. Os encontros acontecem duas tardes por semana na casa de cada mãe. É bom ter outras mães para ouvir sobre minha experiência, e me sinto útil quando posso oferecer algum tipo de apoio para elas também. Além disso, o grupo está na internet, o que é valiosíssimo no meio da noite — tantas de nós já es-

tão acordadas mesmo! Consigo ver que criei o hábito de dizer a mim mesma que era inútil. Conversar com outras mães sobre essa e outras tristezas não fez com que elas passassem, mas as tornou mais controláveis.

Exercício para lidar com a solidão

1. Disponha-se a reconhecer quando estiver solitário. Não negue isso nem se julgue negativamente por se sentir dessa forma.

2. Entenda o que a solidão faz com você: lembre-se, como membro de uma espécie social, é perigoso se sentir isolado.

3. Aprenda a reconhecer esse estado hipervigilante para que possa contorná-lo — não seja uma mosca. Muitas vezes, pais de primeira viagem não querem entrar para grupos de apoio porque se sentem inteligentes ou inadequados demais, então preste atenção a essas sensações de superioridade ou inferioridade. São apenas desculpas para se apegar à desconfiança que a solidão pode provocar.

4. Procure ajuda e seja acessível. Descubra quais grupos de pais e filhos existem perto de você, veja se consegue se conectar a outros pais da sua região pela internet, convide seus amigos para fazer visitas e vá visitá-los.

DEPRESSÃO PÓS-PARTO

A solidão pode ser um fator na depressão pós-parto também, embora a depressão depois do parto ou do surgimento da responsabilidade parental tenha muitas causas. Sintomas de depressão pós-parto incluem: irritabilidade, tristeza e desespero profundos, autodepreciação, ansiedade, insônia, cansaço e falta de energia, isolamento, pensamentos de automutilação e, em casos extremos, psicose. A depressão pós-parto afeta entre 10% e 15% das mães todos os anos. Vários estudos sugerem que 10% dos pais também sofrem desse transtorno psicológico.

Esta é a experiência de Paula com a depressão pós-parto:

Ricky gritava quando eu não o pegava no colo e gritava quando eu o pegava. Quando o entregava para minha companheira, ela parecia saber o que fazer melhor do que eu. Comecei a sentir que eu não sabia o que estava fazendo. Eu ficava morrendo de medo de acabar machucando Ricky enquanto trocava a fralda dele. Tinha tanta vergonha de como me sentia que dizia para todos que perguntavam, inclusive meu agente de saúde, que estava "bem".

Mas eu tinha certeza de que devia haver alguma coisa errada com Ricky para ele chorar tanto. Eu o levei ao médico, que não encontrou nada de errado. Eu me senti ainda pior, porque senti vergonha por tê-lo levado.

Comecei a achar que meu bebê ficaria melhor sem mim. Não conseguia sequer amamentar porque meus mamilos doíam muito — eu sentia como se estivesse sendo espetada por alfinetes. A mamadeira fez com que eu me sentisse ainda mais fracassada.

A coisa chegou ao auge quando Ricky tinha doze semanas. Perdi completamente o controle, e minha companheira e meu irmão viram que eu não estava mais dando conta. Eles não aceitaram minha resposta de que estava "bem". Tive de confessar que queria morrer ou, pelo menos, fugir. Nunca havia me sentido tão mal, tão desolada, tão deprimida. Parecia muito mais do que apenas me tornar mãe. Uma nuvem densa de tristeza havia caído sobre mim.

Foi difícil para a minha companheira, porque ela teve de assumir a maior parte dos cuidados com o bebê. Estava achando difícil segurar a barra também, embora não estivesse com o mesmo sentimento sombrio que eu, e senti que ela não tinha tempo para meus sentimentos e para todas as outras coisas. Ela me fez ir para a terapia, o que me deixou com raiva no começo porque senti que sua intenção era me afastar. Na minha cabeça, ela e o bebê eram o casal e eu estava sendo deixada de lado.

Quando me lembro desse período, parece surreal que eu estivesse planejando me matar de verdade. Achava que todos ficariam melhor sem mim. Eu tinha toda a intenção de levar esse plano adiante — mas pensei em tentar a terapia primeiro.

O terapeuta me pediu que eu refletisse sobre minha primeira infância. Eu não conseguia lembrar, então perguntei para a minha família. Meu primo me contou que, quando eu tinha três meses, meus pais haviam me deixado aos cuidados de uma tia e uma babá e passado um mês fora do país. Perguntei a eles por que tinham feito isso. Meu pai disse que estavam ficando meio de saco cheio de viver no mundo dos bebês e precisavam de um descanso. Minha mãe me contou que ficou muito chateada quando voltou porque eu não a reconheci. E falou isso como se ainda estivesse brava comigo.

Fiquei triste porque não havia cumprido suas expectativas quando bebê, e com raiva por ela ter me largado. E entendi por que Ricky parecia tão estranho para mim — eu tinha me sentido uma estranha para minha própria mãe. Entendi por que sentia que minha parceira e Ricky eram o casal e eu estava sendo deixada de lado, porque, quando eu era bebê, isso realmente aconteceu. Comecei a pensar: "É por isso que eu me sentia incapaz de fazer isso, meus pais também não foram capazes".

Fazer essa associação ajudou um pouco. Comecei a melhorar devagar, imperceptivelmente. Quando Ricky tinha oito meses, me dei conta de que era sua mãe e que, por isso, tinha de estar do seu lado. Cheguei a uma espécie de aceitação de que eu estava lá por ele e ele por mim. Consegui me conectar mais e a sentir junto com Ricky quando ele chorava, em vez de tomar isso como uma punição contra mim.

Depois de um ano indo à terapia toda semana, eu não tinha voltado ao normal mas estava aceitando melhor meu novo normal. Aos poucos, passei a conhecer essa nova versão de mim mesma — e até a gostar dela. E, a propósito, meu filho é um homem gentil e adorável de 22 anos agora.

Pode ser útil encontrar uma narrativa que explique os seus sentimentos, como Paula fez. O simples fato de saber que existe uma história que explica o que você sente, ainda que você não saiba qual é, pode ser suficiente.

Quanto mais falamos sobre impulsos e reações que temos em relação ao nosso bebê e conseguimos fazer com que sejam compreendidos e aceitos, mais conseguimos refletir e ver o bebê como um bebê, e não como um objeto em que estamos projetando inconscientemente um monstro ou fantasma do nosso passado. E, quanto mais podemos falar, mais sentimos que não somos monstros porque imaginamos que podemos machucar o bebê e menos fantasiamos sobre fugir da criança ou da nossa vida. Lembre-se: uma fantasia não é prejudicial quando não se concretiza. Falar sobre as fantasias e os sentimentos pode ajudar a colocá-los no lugar onde foram sentidos pela primeira vez, ou seja, pensar sobre eles no contexto de nossa própria infância. Isso pode ajudar a minimizá-los.

Creio que todos precisamos conversar com alguém que não julgue, alguém com quem possamos ser nós mesmos de forma plena e sem nenhum remorso — é isso que seu bebê precisa que você seja para ele, afinal. Essas pessoas podem ser outras mães que entendam a situação. Ou, se quiser conversar com um terapeuta ou médico, não hesite pensando que não se sente mal o bastante para justificar a queixa, ou que se sente tão mal que o profissional vai ficar chocado e horrorizado. Ter um bebê é um peso enorme tanto emocional como fisicamente. Todos os hormônios diferentes estão exacerbando suas emoções e, se seus sentimentos fazem com que você não queira interagir com seu bebê ou sua família, é uma boa ideia procurar apoio e atendimento qualificado.

Esta é a experiência de Gretchen com a depressão pós-parto:

> Fui a primeira do meu grupo de amigos a ter um filho. Eu sentia falta da minha vida antiga. Sentia falta do trabalho e de ver gente. Eu era uma profissional de muito sucesso e com padrões de exigência elevados. Como mãe, eu me sentia errada o tempo todo. Fazia todas as coisas certas, como ir a grupos de mães e bebês, mas, quando estava lá, ficava me comparando com as outras mães e me sentindo inadequada.
>
> Quando meu bebê chorava, isso me irritava em vez de me fazer querer pegá-lo no colo. Sair de casa era tão estressante que eu pensava que acabaria esquecendo o bebê em alguma loja, então, na maioria das vezes, eu nem me dava ao trabalho. Evitava atender à porta. Até me vestir era um es-

forço grande demais às vezes. Eu não estava dormindo muito. Tinha precisado de fórceps no parto e achei todo esse procedimento muito invasivo. Quando conseguia dormir, ficava acordando toda hora, revivendo a experiência assombrosa do parto.

Pouco antes de meu namorado chegar em casa, eu me trocava. Dizia que tinha sido tudo maravilhoso. Pensava que, se eu contasse para ele ou para alguém mais como me sentia inútil, seria julgada. Mas ele notava que eu vivia nervosa e trêmula e ficava me perguntando qual era o problema. Eu dizia que era só falta de sono e que estava bem. Eu não estava nem um pouco bem.

Eu me arrastei para mais um grupo de mães e bebês da região, pronta para fingir que estava bem de novo, só para ter algo para contar ao meu namorado quando ele chegasse em casa. Uma mulher de lá, Suzi, admitiu que não estava dando conta, falou que estava se sentindo péssima. As outras mães começaram a dar conselhos para ela, o que pude ver que só a fez se sentir pior. Juntei toda minha coragem e disse: "Eu também", e contei minha experiência a ela. Viramos amigas. Suzi encontrou um grupo para mulheres com depressão — juntas, passamos a achar que era isso que tínhamos. O grupo tinha uma creche. Todas as mães faziam artesanatos — como crianças, fazendo colagens com tecidos em papéis —, mas foi a melhor coisa que podia acontecer para nós. Enquanto ficávamos colando e costurando coisas, todas conversavam. Contando como as coisas eram de verdade. Acho que descobrir que eu não era nenhuma aberração e que outras pessoas estavam passando pela mesma coisa fez a depressão começar a melhorar.

Três anos depois, tenho uma relação ótima com meu filho. Nosso começo conturbado não parece ter causado muito mal. Agora tenho uma outra filha, que nasceu há um ano. A diferença desta vez é que agora não fico isolada e, se não estiver tudo perfeito, não me sinto um fracasso. Não que eu ache que foram esses os motivos da minha depressão depois que meu filho nasceu; ela me pareceu mais hormonal.

Lembre-se: sua experiência e seus sentimentos depois que um bebê entra na sua vida não são certos ou errados. Por mais estranhos e anormais que lhe pareçam, não os guarde só para si. Encontre pessoas parecidas com quem conversar, como Gretchen fez, e não hesite em buscar atendimento médico. Não pense que não está mal o suficiente, ou que chegou a um ponto em que a coisa se tornou incorrigível para fazer isso. Esteja presente e confiante, você deve isso a si mesma e ao seu filho.

Exercício: As partes ocultas de ter filhos
O exercício a seguir se chama visualização guiada. Vou pedir a você que visualize um cenário em sua mente, e a ideia é realmente explorá-lo para tentar descobrir o que está acontecendo nas profundezas ocultas do seu ser.

Imagine três cômodos. O primeiro é uma sala de recepção, com duas portas que levam ao segundo e ao terceiro recinto. Pense nessa casa de três cômodos como uma metáfora para você como mãe ou pai. Em sua mente, vá até a recepção. É aqui que você recebe visitas. Aqui, você mantém sua imagem pública.

O segundo cômodo é onde você sente mais insegurança e, talvez, mais raiva, arrependimento, vergonha, frustração, tristeza ou insatisfação. Esse é o cômodo das dificuldades e vulnerabilidades de ter filhos. Entre nesse recinto e crie coragem para sentir como é aqui. Olhe ao redor e preste atenção no que vê, sem se julgar. Enquanto está nesse cômodo e sente o que está ali dentro, preste atenção em como você respira. Se estiver segurando o ar ou respirando com dificuldade, volte a respirar normalmente. Dê uma última olhada pelo recinto das dificuldades e volte para a recepção, para o espaço público. Note como é fechar a porta da sala das dificuldades sabendo que elas continuam ali.

Agora é a hora de abrir a porta do terceiro cômodo. Esse é o lugar onde você sente mais positividade. Ali, tudo está dando certo, você se orgulha de quem é como mãe ou pai e sente a alegria de poder sentir junto com seus filhos e, talvez, mais orgulho até do que pode exibir na recepção. Olhe o recinto positivo e veja o que há ali dentro. Continue olhando e note como você se sente nesse cômodo. Muito bem.

Agora volte à recepção. Ao parar na sala de recepção, pense bem no que há por trás das portas fechadas. Lembre-se: todos temos esses cômodos além da imagem pública de pais e mães, quando outras pessoas podem nos ver com nossos filhos. E todos temos nossos sentimentos sobre nós mesmos como pais e mães, coisas sobre as quais nos sentimos muito bem e coisas sobre as quais não nos sentimos tão bem assim. O que é muito importante é não comparar nosso recinto particular de sentimentos difíceis com aquilo que os outros pais e mães mostram em público.

Lembre-se: todos precisamos de alguém que aceite conversar sobre esses dois recintos além da sala de recepção. Alguém que possa nos escutar quando nos sentirmos inundados de amor e alguém que possa nos aceitar junto com os sentimentos ambíguos que ter filhos provoca.

5. Condições para a boa saúde mental

É fantástico que nossa sociedade esteja finalmente falando sobre saúde mental infantil e do que podemos fazer para promovê-la. Mas é triste que a saúde mental das crianças esteja em um ponto crítico. Nesta seção, vou me referir muito às primeiras semanas e aos primeiros meses e anos, dada a sua importância para infundir uma sensação de segurança em nossos filhos, mas, como sempre destaco, nunca é tarde para reparar qualquer ruptura que possa ter acontecido nessa época se seu filho for mais velho.

Não existe nenhuma garantia de que uma infância carente e terrível resultará em problemas de saúde mental mais adiante, nem que uma infância ideal proteja alguém de perder a cabeça. Dito isso, existem coisas que podemos fazer que darão aos seus filhos as melhores chances possíveis para minimizar potenciais problemas de saúde mental. Temos a obrigação, por eles e por nós mesmos, de tomar um rumo que tenha as maiores chances de resultar em uma mente e um corpo saudável.

O LAÇO

Um dos indicadores mais importantes da boa saúde mental é um forte laço entre pais e filhos. Os humanos são animais sociais; vivemos em tribos por milênios. Somos programados para criar laços entre nós; é assim que sobrevivemos como espécie. O laço mais primário de todos é entre o filho e seus pais. Você terá um laço com seus filhos, que é pré-programado para criar um laço com os pais. Mas como você pode tornar esse laço tão gratificante quanto possível para vocês dois, um laço que tenha mais chances de desenvolver um potencial de saúde e felicidade? Já falei sobre a importância de fazer companhia a um bebê, de estar ao seu lado enquanto ele tem seus primeiros humores e sentimentos para que não se sinta sozinho. Também já falei sobre a importância da proximidade física dos pais para o bebê. Mas como, além dessa presença concreta, conseguimos nos aproximar emocionalmente de um bebê ou de uma criança pequena? Afinal, um de vocês não consegue usar palavras. O que cria o laço e sua relação é dar e receber. Com isso, estou me referindo à influência mútua que temos uns sobre os outros. Pode parecer óbvio que eu afeto você, que você me afeta e que formamos uma relação única juntos, diferente das que mantemos com outras pessoas. E é isso o que deve acontecer, ou já aconteceu, de maneira inconsciente entre você e seu bebê. Estou começando pelos bebês porque é aí que a relação dos pais começa, mas o que tenho a dizer sobre a comunicação recíproca, sobre a importância do diálogo como uma dança colaborativa, é importante para qualquer relação.

DAR E RECEBER, O VAIVÉM DA COMUNICAÇÃO

Inicialmente, quando seu bebê faz um barulho, está se comunicando com você. Os barulhos de um bebê, seus gestos, seus choros coercivos e a maneira como começam brincadeiras de alternância de turnos são os precursores da conversa. Por meio de tudo isso, seus filhos estão procurando a sua reciprocidade.

Se você os silenciar, está dizendo que a comunicação deles não é bem recebida. Com o tempo e muitos "psius", isso pode fazer com que eles sintam que não são bem-vindos. Não sou fã do "psiu". Não vejo nada de errado em uma chupeta quando usada em conjunto com atenção e toque amoroso para tranquilizar uma criança, mas não gosto que faça a função de uma rolha, para silenciar o vaivém essencial da comunicação.

Antes de nossos filhos aprenderem a articular seus sentimentos, assimilamos seus sinais por observação. Eles podem ter minutos ou anos de idade, mas terão sua própria visão de mundo. Acredito que os pais mais felizes são aqueles que estão abertos e dispostos a aprender com os pequenos, a continuar expandindo sua visão aceitando a dos seus filhos. Uma criança cuja individualidade e cujo ponto de vista são respeitados aprende de maneira inata a respeitar os outros. Consegue partir do princípio de que existe mais de uma maneira de ver e sentir as coisas.

Se você tem um bebê e quer apenas olhar para ele e ter "conversas" com gestos e expressões faciais, é exatamente isso que precisa fazer. Essa "brincadeira" é o que se desenvolve no dar e receber do diálogo. E ajuda a fortalecer o laço que se desenvolve na relação. Mais adiante, perdemos de vista nossa comunicação corpo a corpo com nossos filhos conforme as palavras vão assumindo o protagonismo pouco a pouco, mas ainda estão lá. Continua sendo relevante observar uma criança assim como lhe dar ouvidos para escutá-la de verdade e permitir que exerça um impacto sobre você. E isso é relevante inclusive para relacionamentos entre adultos.

Em um diálogo, seja composto apenas de olhares e gestos ou incluindo sons ou fala, as duas partes afetam uma a outra. Por "gestos", me refiro a todos os movimentos corporais, alguns deliberados e outros que envolvem contatos físicos conforme vamos entendendo os humores e intenções um do outro. Nenhuma parte apenas ensina e dá e nenhuma apenas recebe como uma esponja. Não é apenas um corpo afetando o outro, mas ambos os corpos se afetando mutuamente. É assim que se forma uma relação enriquecedora. O impacto mútuo é o segredo para todas as nossas relações — e isso também vale para pais e filhos. Muitas vezes, é fácil estar com pressa demais e, dessa forma, uma relação, em vez de entrar num ritmo contínuo de vaivém e alternância de turnos, se torna o que chamo de "Agente e Paciente", em que uma parte é dominadora e a outra, submissa, em vez de ambas serem parceiras igualitárias na troca comunicacional. Isso acontece quando não deixamos espaço para o outro responder e, se isso vira um hábito, a relação pode perder o rumo.

Pense nisso nos termos de um professor com sua turma. Os professores que cativam os alunos são aqueles que compreendem o grupo e adaptam a aula àquela turma. Eles não têm medo de aprender com os alunos. Descobrem o que os estudantes já sabem, os mantêm interessados fazendo com que discutam ideias, confirmam se entenderam antes de passar para a informação seguinte. Uma sala de aula que funciona dessa forma é um lugar pacífico de vaivém, ao passo que, quando um professor apenas distribui informações para os alunos, é provável que eles fiquem ressentidos ou inquietos e não aprendam muito. A maior frustração e os relacionamentos mais insatisfatórios ocorrem quando não exercemos impacto. Não importa o que digamos e façamos, a pessoa ou organização não nos leva em consideração, mesmo se estiverem fazendo coisas por nós, e podemos nos sentir desamparados, isolados ou revoltados. Por isso, é importante se permitir ser impactado pelos seus filhos — deixe que eles influenciem você. É uma forma de dar o exemplo de como se deixar influenciar, o que é importante para que seus filhos, por sua vez, se permitam ser influenciados por você.

COMO COMEÇA O DIÁLOGO

Um exemplo de diálogo embrionário é o ato de respirar juntos. A respiração de um bebê é automática. No entanto, com o tempo, o bebê aprende que a respiração também pode ser controlada voluntariamente, e que ele pode fazer isso. Ele pode se sintonizar de forma automática com a respiração do adulto que o segura no colo ou com quem está deitado. A sincronização da respiração pode ser parte de como criamos um laço. Descobri que ficar deitada com minha bebê e sincronizar minha respiração com a dela e notar quando ela fazia o mesmo era gratificante e comovente. Talvez seja por isso que cantamos para as crianças e junto com elas, seja canções de ninar, seja músicas pop, porque cantar junto é respirar e brincar junto.

Exercício de respiração
Fique de frente para seu parceiro ou parceira ou um amigo e sigam os padrões de respiração um do outro. Note

como você se sente quando acompanha, como se sente quando guia, e faça isso até relaxar no exercício. Continue por um bom tempo, pelo menos até começar a notar quais sentimentos surgem fazendo esse exercício.

ALTERNÂNCIA DE TURNOS

Outro tipo de interação que você pode ter com um bebê muito pequeno pode ser na forma de um jogo de olhar um para o outro, depois desviar os olhos, alternando-se na iniciativa de começar a brincadeira. É uma brincadeira especial porque vocês a inventam juntos. Durante o jogo, o bebê pode virar inexpressivamente para o outro lado e, em vez de voltar, continuar com a carinha virada. O pai ou a mãe, em resposta, se recosta e espera o bebê fazer seu movimento. Então, o bebê olha mais uma vez com uma expressão curiosa e sorridente. A mãe ou o pai pode dizer, com uma voz suave e gentil: "Ah, oi de novo, você voltou!". Então o bebê pode repetir o processo muitas vezes até se sentir satisfeito.

Quando mães e seus bebês de quatro meses mostram padrões de alternância entre dar e receber, observar, escutar e responder, os pesquisadores conseguem prever que, quando a criança tiver um ano, a mãe e o bebê terão uma relação de apego seguro. Se pensarmos na metáfora do deserto, esse é o bebê se sentindo resgatado e bem recebido. Ele pode confiar que suas necessidades, inclusive a de se relacionar, serão atendidas na maioria das vezes.

Claro, como tudo que é humano, a criação de laços pode dar errado. Os pais podem interromper e interferir no processo natural se não observarem, não escutarem e não enxergarem o mundo tanto quanto necessário pelo ponto de vista da criança. Assim, se os pais "perderem" muitos sinais de seu bebê ou forem exigentes demais, é improvável que o pequeno aprenda a se sentir seguro nessa relação — ao menos até os pais mudarem seus padrões de se relacionar tornando-se mais observadores e responsivos.

Você pode achar esse tipo de reciprocidade sintonizada uma coisa árdua e exaustiva em vez de fácil e natural. E não é culpa sua. Pode ter a ver com a forma como responderam a você quando era bebê, ou pode ser que não consiga se sintonizar naturalmente com outras pessoas ou ter dificuldades para isso.

QUANDO O DIÁLOGO É DIFÍCIL: DIAFOBIA

Para mim, particularmente, a reciprocidade não foi fácil. Tive de me empenhar para isso. Talvez seja porque ser escutada e levada em consideração não era uma experiência cotidiana para mim durante a infância. Pode ser que você tenha uma regra ou convicção inconsciente de que uma pessoa (o adulto) deva sempre ser o agente, e a outra (a criança), a paciente. A reciprocidade trava dessa forma.

Você se deixa afetar fácil e naturalmente por seu bebê enquanto ambos se adaptam um ao outro e considera ouvir e responder a seus filhos algo natural, automático e tranquilo? Nem todos consideram essa resposta natural assim tão fácil — alguns precisam se esforçar para encontrar isso dentro de si. Talvez seja perceptível certa resistência a deixar que seus filhos, sejam bebês, crianças ou até adultos, afetem você. Isso é chamado de diafobia, uma aversão ao diálogo real, de se deixar afetar pelos outros, de estar no papel de "paciente".

Tendemos a repetir aquilo que foi feito conosco quando éramos bebês e crianças. E pode ser que nossa capacidade inata de reagir tenha sido adormecida. Você pode ter recebido bons cuidados em termos práticos, mas não sentiu reciprocidade em sua infância. Se nossos sentimentos não foram levados a sério, se éramos vistos menos como um ser humano e mais "coisas", se éramos vistos apenas como "o bebê", a "criança" ou um dos "filhos" em vez de um indivíduo, se não nos foi permitido afetar os adultos que faziam parte da nossa vida, é bem possível que tenhamos certo grau de diafobia.

Para os bebês e crianças, nossa resposta é uma necessidade, não um desejo. Se não respondermos aos choros, olhares e brincadeiras de alternância de turnos de uma criança, se não representarmos nosso papel no dar e receber que ela nos oferece, existe um perigo de promover nela traços de personalidade e estilos de apego inseguros e evitativos. Isso vai tornar muito mais difícil para nossos filhos ter relações funcionais.

No entanto, se você acha que pode sofrer de diafobia, não se repreenda, não se culpe nem sinta vergonha. Agora que sabe qual é o problema que interrompe o dar e receber, você pode fazer mudanças que lhe permitam se sintonizar com seus filhos. Sinto orgulho de ter identificado e enfrentado a situação. Às vezes pode ser mais fácil identificar a diafobia nos outros do que em nós mesmos. Mas tente notar quando estiver se esquivando do contato de dar e receber com seus filhos, sejam eles bebês, crianças, adolescentes ou adultos. Perceba se existe a tendência de falar para eles em vez de falar com eles. Aprenda a ceder ao instinto de oferecer aos seus filhos o tipo de atenção de dar e receber de que eles precisam.

Você pode estar lendo isso enquanto sente pontadas de arrependimento: "É tarde demais, já fui diafóbico com meus filhos". Não. Você tem um laço com eles e sempre pode trabalhar para melhorá-lo. Pode começar escutando, pode começar a ver o mundo da perspectiva deles além da sua, pode permitir que eles sejam diferentes de você e influenciem seu modo de agir. É muito significativo até para adultos quando seus pais conseguem vê-los como iguais e levar em conta o que seus filhos mostram e falam para eles. Claro, você pode reparar a ruptura antes que eles virem adultos. Se perceber que anda afastando seus filhos, você pode parar de fazer isso. Não estou dizendo que você deva desistir de seu ponto de vista e de todas as suas opiniões e se submeter apenas aos dos seus filhos — de forma nenhuma. O que estou dizendo é que a maneira deles de ver o mundo é tão válida quanto a sua.

Vamos ouvir o relato de John, de 42 anos.

Minha esposa me perguntou faz pouco tempo: "Por que você não suporta que ensinem as coisas para você?". Isso me chocou bastante. Me fez parar para pensar e percebi que tenho vergonha mesmo de não saber alguma coisa. Ela também me disse que meu bordão podia ser "Eu sei". Enfio isso em todas as minhas falas, ao que parece, até sem perceber.

Então, fui visitar meu pai. Ele estava se confundindo com os remédios, então fiz um quadro para ele — o que ele deveria tomar e quando. E ele disse, sarcástico: "Você acha que vivi 86 anos neste mundo sem saber como ler os rótulos desses frascos de remédios?". Percebi que ele também odiava que lhe dissessem algo que poderia não saber.

Para ser sincero, vejo que a velha postura do meu pai de "você não tem nada a me ensinar" sempre me magoou e ainda me magoa. Uma resposta mais adequada teria sido:

"Obrigado por fazer isso, eu estava me confundindo", mas ele não conseguia suportar ouvir que estava errado, muito menos do filho. Posso ter mais de quarenta anos, só que, para ele, ainda sou um menino.

Então percebi que nunca ouvia meu filho de verdade, pois não considero que ele possa ter alguma coisa para me dizer que eu já não saiba. Notei que ele estava pegando esse meu hábito de dizer "eu sei".

Minha esposa tem me ajudado a ser mais aberto e escutar mais e não sentir vergonha quando eu não souber. Agora deixo que meu filho me mostre coisas também, e não de uma maneira condescendente, e isso está melhorando muito nossa relação. Eu não costumava abrir esse espaço. Era como se eu pensasse que a comunicação deveria ser unilateral, de mim para ele, do professor para o pupilo, mas agora estou aprendendo a abrir espaço para ele me mostrar quem é. E estou aprendendo a descobrir quem ele é em vez de pressupor que sei.

Eu era o clichê masculino clássico, sem querer pedir informações porque não suportava que me dissessem algo que não sabia. Agora vivo pedindo informações para todo mundo, me permitindo sentir essa vergonha de não saber as coisas. Mas não estou agindo por vergonha, só não estou deixando mais que ela destrua minha curiosidade ou que me impeça de dar ouvidos ao meu filho. E isso não está me destruindo, pelo contrário. No breve período desde que ganhei consciência disso, já me sinto muito mais próximo dele.

Às vezes, ao fazer uma mudança, como a decisão de não ceder à diafobia que John tomou, mesmo não tendo uma palavra para defini-la, temos a impressão de que vamos sofrer consequências terríveis, mas na verdade essa pequena mudança no comportamento traz muitas vantagens.

Exercício: Observe seus padrões de comportamento

Se, quando seus filhos querem mais atenção, você quase sempre pensa em algo mais urgente, como cuidar da casa ou do trabalho ou dar um telefonema, e usa isso como desculpa para si mesmo e para eles com a intenção de afastá-los, isso provavelmente é a diafobia em ação. Note quando faz isso. Pare, supere esse instinto de afastá-los e os envolva e inclua na tarefa que você tem de fazer.

Exercício: Você consegue ouvir?

O que você sente quando lhe dizem algo que você já sabe? Como se sente quando lhe dizem algo que você acha que deveria saber, mas não sabe? Tente não responder a essas perguntas com o que pensa que deveria dizer, mas com o que de fato sente quando isso acontece. Qualquer que seja a sensação desencadeada ao fazer esse exercício, você consegue retraçá-la até sua origem na infância?

Você não precisa agir e reagir cara a cara com seus filhos o tempo todo. Mas pesquisas mostram que é angustiante para seu bebê quando você está com ele e ignora a maior parte de suas solicitações de atenção. Em um experimento, as mães foram instruídas a se sentar de frente para o bebê, mas não fazer nenhuma mímica ou gesto em resposta a ele — ou seja, não demonstrar nenhuma reação emocional. Depois que as mães fizeram isso por apenas três minutos, os bebês passaram a expressar angústia. Mostraram ansiedade, vergonha e tristeza por vários minutos. É como se o bebê tivesse sido abandonado para dançar sozinho em um baile.

As crianças precisam de reciprocidade dos seus cuidadores; caso contrário, assimilam o desamparo de que suas ações não exercem nenhum efeito. Se um bebê conseguisse exprimir sua experiência em palavras, pensaria: "Se não consigo afetar você, então eu não existo". É por isso que alguns bebês parecem desistir. Quando não reagimos o quanto deveríamos às solicitações de nossos filhos, acabamos ensinando-os a abrir mão inclusive de tentar.

A IMPORTÂNCIA DA OBSERVAÇÃO ENGAJADA

Muitas vezes, quando achamos que estamos ouvindo, tudo que estamos fazendo é esperar uma brecha para falar; usamos nossa energia para compor uma resposta em vez de tentar entender o que a outra pessoa está tentando comunicar. Parar de fazer isso e permitir que o outro exerça um impacto sobre nós pode ser assustador. Não parece tanto assim se colocarmos esse medo em palavras, mas em muitos casos temos um medo tácito de que, se realmente ouvirmos e nos permitirmos ser influenciados, vamos desaparecer. Não vamos — muito pelo contrário, vamos crescer. Esta é a história de Jodie e Jo:

> Nas nossas primeiras semanas juntas, eu costumava me sentir esgotada pela carência da minha bebê, Jo. Eu queria ser acessível para ela, responder a seus choros, mas era difícil. Sentia que ceder às suas demandas significaria me perder, ser dominada por ela.
>
> O que me ajudou a ser mais aberta para Jo, em vez de tentar me defender das suas exigências, foi observá-la. Quando eu estava com ela, dando atenção, ela me chamava menos. Aos poucos, fui pegando o jeito de evitar alguns de seus choros aprendendo a interpretar seus sinais antes que ela se angustiasse.

Comecei a conversar com Jo com um ou outro comentário enquanto cuidava da casa ou das minhas tarefas, deixando espaços para ela "falar" em resposta. Quando eu não precisava fazer nada, em vez de mexer no celular ou pegar um livro, fica prestando atenção nela.

Percebi que, em vez de sempre tentar mostrar coisas para ela, olhar para o que ela estava olhando, deixar que ela me mostrasse do que gostava, era mais gratificante. Ela olhava para as coisas e eu as trazia para perto dela ou a levava para perto e olhava junto. Ela me ensinou a parar e observar, porque eu tinha esquecido de como fazer isso. Eu não era de me entusiasmar examinando uma folha ou uma joaninha, nem vendo *Bob Esponja*, mas observá-la se concentrar nas coisas me fazia sentir algo; talvez dê para chamar de admiração, ou mesmo amor.

Conforme Jo foi ficando mais velha e começou a falar, notei que minha relação com ela era sempre melhor quando eu a escutava. Às vezes, eu esquecia e falava por cima dela ou mais alto. E, nesses casos, a reação dela era menos positiva — e eu percebia que tinha voltado a cair em um jeito antigo de comunicação que não funcionava para nenhuma de nós.

Deixar espaço para nós me enterneceu, me fez me sentir mais amorosa, não apenas em relação a ela, mas às outras pessoas e coisas. Jo está quase adulta agora, e acho que sou mais adulta do que era de tanto que expandi minha visão ao observá-la, escutá-la e ver as coisas da sua perspectiva. Falar agora de como ela me afeta me enche de amor. Um amor do qual eu talvez fosse incapaz antes de ser mãe. Me sinto expandida por ela.

A experiência de Jodie define a relação dela com sua bebê, uma nova forma de responder e fazer companhia que aprendeu com a filha. Ao escutar de verdade, em vez de apenas pensar na resposta ou no que queria transmitir, ela desenvolveu um amor profundo e uma relação de afeto com Jo. Todos podemos fazer isso com nossos filhos, sejam bebês, crianças ou adultos, e com qualquer pessoa.

O QUE ACONTECE QUANDO VOCÊ SE VICIA NO CELULAR

Se você é fisicamente próximo dos seus filhos, mas está deixando de ver as solicitações deles porque, por exemplo, vive no celular ou no computador, isso pode incomodá-los. Pense em como você se sente quando sai com um amigo e ele passa a maior parte do tempo no celular. É irritante, não? Como você tem sua personalidade mais ou menos já formada, isso não vai causar grandes prejuízos, embora não vá ajudar muito sua amizade com a pessoa em questão. Seus filhos, porém, estão no processo de formar sua personalidade e seus hábitos em relação a você.

Sabemos que alcoólatras e dependentes de drogas não são os melhores pais porque sua prioridade é sempre a substância em que são viciados, por isso seus filhos são privados da atenção de que tanto necessitam. Eu diria que viciados em celular não são muito diferentes. Não recomendo jogar ou ver e-mails no celular na frente de uma criança pequena por longos períodos. Você não apenas a privará de contato como vai criar um vazio dentro dela. E, sem querer dramatizar, esse é o tipo de coisa que pode fazer com que as pessoas se tornem dependentes mais adiante na vida, quando tentam preenchê-lo com substâncias viciantes ou atividades compulsivas para impedir que um sentimento de desconexão, de vazio, as atormente.

Você também corre o risco de que seus filhos se tornem viciados em telas como um substituto do contato interpessoal. É possível ter uma sensação de conexão mais instantânea com uma tela do que com um contato significativo com outra pessoa — mas não é um substituto sustentável.

É bem possível que você tenha se apegado ao celular por causa da sua necessidade de contato. Bom, seus filhos têm a mesma necessidade de contato, só que de maneira mais intensa, porque precisam de você para ativar o próprio cérebro. Os seres humanos não se desenvolvem normalmente em isolamento. Nós precisamos de pessoas.

Todos que cuidam dos seus filhos precisam saber disso também, seja uma babá, um amigo ou um parente. Se você ou eles estiverem sempre olhando para uma tela, seus filhos vão querer uma para olhar também. Se, ao ler isso, você percebeu de repente que ignora seus filhos com frequência, não pense: "Estraguei meus filhos para sempre", porque não é esse o caso. Simplesmente parando e abrindo espaço para eles, você pode reparar sua relação.

NASCEMOS COM UMA CAPACIDADE INATA PARA O DIÁLOGO

O experimento sobre a resposta materna permitiu mais uma observação importante: é difícil para muitas mães manter o rosto sério ao olhar para seu bebê. Isso mostra como os sinais do bebê são poderosos, que somos programados para responder. Precisamos apenas deixar acontecer.

Nascemos com essa capacidade inata para o diálogo, para a interação, para a alternância de turno. Esse processo começa no nascimento e não para. Talvez tenha início antes mesmo disso; o processo do parto pode ser uma forma de alternância também, uma contração seguida por um repouso. No diálogo, a ação de uma pessoa produz uma iniciativa de tomada da palavra na outra. No processo de alternância de turnos, os pais e os bebês se encontram cada um em seu ritmo. Ambos se sintonizam e aprendem um com o outro. Juntos, os bebês e seus pais desenvolvem padrões únicos de convivência. Um bebê pode desenvolver um padrão com um dos pais, um diferente com outro, um terceiro com um irmão, e assim por diante. Cada relação tem um padrão diferente.

Esses padrões não são guiados pelo adulto, mas criados em conjunto com o bebê. Não são totalmente fixos — mudam de acordo com os humores e a contribuição de cada parceiro. Às vezes, os parceiros se "entendem" e, em outras ocasiões, não; nesse caso, alguns ajustes precisam ser feitos.

Você vai descobrir o que seus filhos querem por meio da observação, por tentativa e erro, pela reparação de erros anteriores tentando de novo e conseguindo da segunda vez. Pode aprender a interpretar determinado olhar como "Quero mais sorrisos"; e, em outra hora, pode descobrir que uma expressão parecida significa "Quero comida". É muito normal não conseguir entender o que um bebê quer dizer com seus gritos ou gestos, tudo bem, mas você ainda assim pode responder à sua maneira. Não é o sentido que importa tanto, e sim o padrão de alternância na comunicação. Eu me sentia incapaz como mãe de primeira viagem quando pais mais experientes me diziam que não seria demorado aprender a interpretar os choros, que um significaria que o bebê está com sede, enquanto outro que está com muito calor. Não que os choros para mim fossem uma linguagem inadequada — eram sons, uma comunicação de um outro tipo que exigia minha atenção e observação e empenho, mas não um glossário inexistente para entender os bebês. Ficou mais fácil quando os padrões de observação e alternância de comunicação foram estabelecidos.

Um bebê aprende a se comunicar e encontra conexão estando com sua família, e vice-versa, pois cada par desenvolve seu sistema único de comunicação. É semelhante ao processo que ocorre quando os bons comediantes de *stand-up* leem sua plateia e se adaptam para fazer sua melhor apresentação para aquelas pessoas. Não existem duas plateias nem dois bebês iguais. Depois de alguns meses, cada parceiro conhece o outro melhor e já aprendeu a estar um com o outro do modo que cada um acha mais satisfatório; a observação e a alternância de turno representam um papel importantíssimo nisso, embora, na maioria das vezes, seja inconsciente.

Esta é a história de Simon:

> Ao observar meu filho, Ned, percebi que ele estava se comunicando desde o começo. Eu nem sempre entendia o que ele estava me dizendo, mas observá-lo me ajudou a chegar lá. Passei a conhecer os sinais que exigiam que eu fizesse alguma coisa e aqueles que não eram tão urgentes.
>
> Ned acabou de fazer dois anos e consegue dizer algumas palavras e usar frases curtas. Mas nem sempre sabe do que precisa ainda — então precisamos observá-lo para descobrir.
>
> No fim de semana passado, estávamos em um restaurante com outra família que tinha filhos maiores, e Ned estava adorando conversar com eles e brincar. Então notei

seus olhos se turvarem, e ele tinha parado de olhar para os demais. Aprendemos que isso é o que Ned faz quando cansou de algo e precisa de um tempo quietinho. Se não notarmos, ele pode começar a chorar, até fazer um verdadeiro escândalo.

Dessa vez eu notei, então me levantei e perguntei se Ned queria dar uma volta, e ele assentiu. Eu o tirei do cadeirão, o peguei no colo e o levei para fora do restaurante. Nós nos sentamos na grama lá fora, e ele se recostou em mim por um ou dois minutos. Depois, começou a colher margaridas e dá-las para mim. Começamos um velho jogo em que conto tudo que ele me dá: uma margarida, duas margaridas, três margaridas. Depois, ele as pega de volta, para me dar de novo.

Pude ver que Ned estava calmo e concentrado outra vez e tinha perdido aquele ar aéreo. Quando terminou com as margaridas, ficou olhando ao redor em busca de outra coisa que chamasse sua atenção, e eu disse: "Vamos voltar e terminar de comer?". Ele fez que sim com a cabeça, pegou minha mão e me levou de volta para a mesa.

O que me surpreendeu é que não foi chato deixar um grupo de amigos, de tão envolvido que fiquei com Ned. Ele me ensinou a me comunicar em um nível mais corporal observando-o e aprendendo quais são seus gatilhos e necessidades.

Quando um bebê tem um baixo impacto sobre os pais — não é "exigente", "é fácil" ou "agradável" —, isso é considerado algo bom em algumas filosofias educacionais. Mas manipular uma criança para ter um efeito mínimo em você é desumanizador. É preciso permitir que seu bebê tenha um impacto sobre os pais. Caso contrário, a criança terá de se adaptar demais para ter uma sensação de pertencimento e, ao fazer isso, perder uma noção de si e parte de sua própria humanidade (como pode ter acontecido conosco quando éramos bebês). Os bebês podem não conhecer as palavras ainda, mas podemos aprender a entendê-los por meio da observação. Se treinarmos essa habilidade de observação, isso vai nos ajudar a entender e nos relacionar melhor com nossos filhos, seja qual for sua idade.

BEBÊS E CRIANÇAS TAMBÉM SÃO PESSOAS

Como adultos, sabemos que é respeitoso ser consciente com todos com quem temos algum contato. Mas às vezes esquecemos que os bebês também são pessoas. Tente pensar nos seus filhos como sócios na empreitada de receber cuidados.

Por isso é importante criar o hábito de contar ao seu filho o que vai acontecer, depois deixar uma pausa antes disso. Por exemplo, imagine que seu bebê está num carrinho e você vai pegá-lo para pôr no carro. Diga: "Vou colocar você na cadeirinha do carro", então lhe permita o tempo que ele possa absorver isso. Depois, narre o que está sendo feito: "Agora estou tirando seu cinto. Estou pegando você no colo e vou colocar na cadeirinha". Pode parecer esquisito, porque a criança talvez ainda não entenda a linguagem, mas a maneira como aprendemos é ouvindo. Mais importante do que as palavras é o vaivém entre você e o bebê, a alternância de turnos.

Com o tempo, quando o bebê se acostumar com isso, conforme o vaivém do diálogo se estabelece e surgem os espaços para as respostas, ele vai estender os braços para ajudar você a levantá-lo. Faça o mesmo quando estiver trocando sua fralda ou suas roupas. Envolva o bebê no maior número de atividades possível, mas especialmente naquelas que vai fazer com ele.

As pessoas desenvolvem relacionamentos entre si. Quanto mais abertos somos para os outros — e mais sensíveis conseguimos ser às sutilezas dos olhares e gestos, à agitação ou ao relaxamento —, mais conseguimos evitar a infelicidade e o desespero em nossos bebês e, por consequência, em nós mesmos. Podemos aprender a relaxar e observar nossos bebês e crianças, respeitar suas atividades e comunicações individuais e aprender com eles. Isso torna a criação dos filhos, que, como você sabe, pode parecer lenta e entediante nos primeiros meses e anos, parecer bem menos assim porque lhe dá sentido.

A atenção positiva dada aos seus filhos nunca é desperdiçada. Acho que podemos errar quando pensamos que são os grandes gestos que importam — a viagem a um parque temático, o grande presente de Natal, a festa de aniversário. Essas coisas podem ser boas, mas são as interações do dia a dia que contam. Com tentativa e erro de ambos os lados, as minúcias da interação cotidiana vão se tornar tão gratificantes quanto possível para vocês e proporcionar aos seus jovens humanos a capacidade de ser feliz.

Exercício: Como melhorar no diálogo

Para melhorar ainda mais no diálogo, pense em como ouve e observa quando está escutando bem — seu bebê, outro filho ou um adulto. O que acontece é que você nota os movimentos, tons, gestos e expressões do falante, se concentra no que está sendo dito e pode estar consciente aos sentimentos que o falante lhe desperta.

Então o que pode atrapalhar sua escuta e observação? Muitas vezes, é ficar preparando sua resposta na cabeça de antemão ou deixar a mente divagando em outros assuntos. Claro, essas coisas sempre vão acontecer em algum grau, mas o que você pode fazer é notar quando parou de se concentrar no falante ou na criança ou no bebê — e voltar sua atenção para o interlocutor. Com a prática, você vai se aprimorar como um bom ouvinte e um parceiro igualitário nesse diálogo.

COMO TREINAMOS NOSSOS FILHOS PARA SEREM IRRITANTES — E COMO ROMPER ESSE CICLO

Enquanto pesquisava para um programa de TV que produzi sobre surrealismo, descobri que, quando Salvador Dalí estava na escola, bateu de cara em um pilar de mármore uma vez, se machucando feio. Quando lhe perguntaram o motivo para ter feito aquilo, respondeu que foi porque ninguém estava prestando atenção nele.

Se bebês e crianças não estiverem recebendo o que precisam no começo da vida, se não se sentirem vistos, se não puderem ter certeza de que vão ser respondidos, podem ficar presos nesse estágio de tentar chamar a atenção. E é então que você — e outras pessoas — pode vê-los como irritantes.

Podemos expressar isso em outros termos: é impossível "mimar" um bebê com respostas sensíveis demais às solicitações dele. O tempo dedicado no início da vida faz a criança se acostumar a ter suas necessidades de conexão atendidas. Ela internaliza isso, sabe que pode confiar nos adultos e não precisa continuar buscando se conectar. Se não receber atenção suficiente, a criança pode acabar se sentindo real apenas quando causa um impacto emocional ou comportamental direto nas pessoas à sua volta.

Uma criança que recebe atenção suficiente vai se sentir segura, não terá de se preocupar com relacionamentos, nem se tornar obcecada com eles ou sentir que precisa ser performática — fazer acrobacias ou dar de cara em pilares — para se sentirem seguras. Se você não responder à maioria das solicitações de atenção de uma criança, ela vai fazer isso de forma mais escandalosa ou, quando ficar mais velha, mais inconveniente. A atenção negativa de uma mãe ou um pai é melhor do que nenhuma porque, pelo menos, assim sabe que os pais têm conhecimento de sua existência. Ela se sente obrigada a perturbar, o que, claro, a torna ainda mais excluída.

Quando a criança está sofrendo, a convivência torna-se mais difícil, o que é uma pena, porque nesse momento ela precisa de ainda mais atenção para reparar a ruptura inicial.

E se sua relação com seus filhos parecer algum tipo de batalha em que toda a atenção parece ser negativa, e você os vê apenas como um incômodo? Primeiro, você pode encontrar outra coisa, longe dos seus filhos e de casa, para dar vazão de forma segura a essa raiva acumulada. Pode ser conversar com alguém que não julgue você, ou entrar em uma sala à prova de som, bater em um travesseiro e dar uns bons gritos.

Para reverter essa relação e esse padrão de comportamento, você pode fazer o que o psicólogo Oliver James chama de "bombardeio de amor". Segundo James, para restaurar o termostato emocional de seus filhos — e, devo acrescentar, o seu também —, você precisa passar um tempo com eles. Não um "tempo de convivência" em que vocês apenas ficam juntos, mas um bombardeio de amor. Trata-se de um período com começo e fim determinados em que a criança, dentro dos limites do razoável, toma as decisões. É a criança quem decide o que vocês vão fazer, e onde.

O bombardeio de amor é um tempo a sós, então você pode fazer isso em casa quando o resto da família estiver visitando os parentes ou, talvez, se puder pagar, em um hotel. Em todo o período — de 24 horas ou um fim de semana —, a criança, desde que seja seguro e dentro da lei, fica no comando do que vocês vão fazer e comer. E, durante esse período, você também expressa o tempo todo seu apreço e amor por ela.

Pode parecer que, ao deixar que a criança tome as decisões e enchê-la de amor, você está premiando um mau comportamento, mas não está. Imagine que você sentia que não recebia atenção e um bom tratamento (não faz diferença se não fosse esse o caso — se você sente, essa é a sua experiência) da parte de pessoas cujo amor, admiração e atenção são sua principal fonte de conexão e tudo que mais importa, e que a única maneira de se certificar de que vai conseguir isso é se tornando um incômodo. Se elas lhe dessem esse amor e essa consideração, você não teria de criar problemas para conseguir sua atenção. O exercício de bombardeio de amor dá à criança uma dose concentrada dessa atenção. Além disso, interrompe seus padrões coercivos de comportamento e restaura seus padrões para um ritmo que inclua o dar e receber.

Em meu trabalho como psicoterapeuta, vivo conhecendo adultos que ainda estão presos no estágio de querer atenção; se não conseguirem, são dominados pela vergonha ou sentem que não existem de verdade. Se você não responder à maioria das solicitações de atenção dos seus filhos, pode também estar treinando-os a agir dessa forma manipuladora. O outro resultado possível é que eles desistam completamente da relação e se torne difícil formar uma conexão com eles. Não existem desvios ou atalhos para dar a atenção de que seus filhos precisam.

Fazer isso não significa falar o tempo todo que ele fez um "bom trabalho" ou que é o "melhor" — o que não necessariamente é uma boa ideia. A questão aqui não é julgar. O que ele precisa é de uma alternância de turno estabelecida de forma regular, o constante vaivém do discurso verbal e não verbal. Quanto mais esse tipo de atenção for dedicado aos seus filhos, menos vocês terão de compensar eventuais efeitos negativos mais adiante.

Pense nisso da seguinte forma: uma mãe ou um pai e um filho estão em um trem. Uma criança tende a ficar entediada em uma viagem longa. O adulto pode brincar com a criança, desenhar com ela, ler para ela, propor um jogo — ou passar o tempo dizendo para ela ficar quieta e sentada. É mais agradável para ambos brincar ou ler — passar esse tempo com o dar e receber — do que passar o tempo repreendendo ou suportando um barulho que é desagradável para você e para as outras pessoas no vagão. Também pode acontecer que, quando você dedica tempo no começo de um longo período, como uma viagem de trem, a criança possa ficar envolvida em uma atividade em conjunto no começo e, quando não precisar mais de você, pode sobrar um tempo para ler seu livro ou fazer o que quiser.

POR QUE UMA CRIANÇA SE TORNA
"PEGAJOSA"

Não se preocupem se seus filhos passarem por um estágio de querer apenas a mãe ou o pai. Isso, na verdade, é um bom sinal. Significa que a criança formou um laço muito forte, e que é capaz de fazer isso, o que ajuda na sua capacidade de ser feliz.

É natural para uma criança preferir os pais e familiares a outros cuidadores. Quanto mais segura ela se sente no laço que tem com vocês, mais facilidade terá para se separar e formar laços fortes com outras pessoas — porém apenas quando estiver pronta. Não tenha pressa para deixar isso acontecer. O apego, a ânsia e o amor pelos pais podem parecer opressivos às vezes, mas aproveite: é um sinal de que a criança formou uma relação forte com você. Quanto mais ela estiver segura desse apego, menos vai precisar recorrer a você para se certificar de que o laço de fato existe.

Lembro de uma mãe que me disse: "Meu filho me adora e precisa tanto de mim. Nunca tive um homem tão fissurado!". Depois de um tempo, esse menino, assim como outras crianças vão fazer a seu tempo, aprendeu a confiar tanto na mãe que agora é fissurado por brincar com os amigos e dormir na casa deles. O segredo para alimentar um espírito independente é, paradoxalmente, deixar que a criança se separe de você quando quiser e estiver pronta, em vez de afastá-la.

Não há nada de errado em crianças mais sensíveis que precisam dos pais por perto. Também não há nada de errado em crianças que querem ficar sozinhas. Somos diferentes e temos necessidades diferentes. Todos passamos por estágios de desenvolvimento, mas cada um em seu próprio ritmo. Não vou dizer qual é a idade "certa" para sorrir, sentar ou se lembrar de uma música porque o fato de nos desenvolvermos em estágios e velocidades diferentes não nos torna melhores ou piores. A melhor forma de passar por qualquer estágio em que uma criança esteja é atender às suas necessidades de relação no momento, para que você e ela possam avançar sem correr o risco de empacar em determinada fase. Você não pode apressar ou ignorar um estágio, caso contrário a criança pode ficar presa nele. Quanto mais energia positiva você dedicar aos seus filhos no começo, menos precisará investir no futuro.

COMO ENCONTRAR SENTIDO EM CUIDAR DOS FILHOS

Alguns pais sofrem nos primeiros anos porque acham essa fase chata ou desestimulante. É verdade que há muito trabalho manual, e que os estímulos intelectuais e sociais recebidos de bebês e crianças pequenas são diferentes daqueles com que você está acostumado no trabalho ou em sua vida antes de ter filhos. Uma maneira de passar por essas dificuldades é desenvolver interesse e curiosidade em relação ao bebê, notar em que ele está concentrado, tentar decifrar o que está tentando fazer, em vez de pensar que estar com seu pequeno é entediante ou encará-lo como se fosse uma fonte de mais trabalho. Se cair na armadilha de sentir que a experiência de ter um bebê se limita à obrigação de alimentá-lo, limpá-lo e entretê-lo, está limitando o sentido que pode encontrar nos cuidados com seus filhos. Um sentido que encontrei foi que meu cuidado, respeito e atenção eram um investimento na minha filha e em nossa relação. Relembrando aqueles primeiros meses e anos, parece que passaram bem depressa. Ajuda mais encontrar um sentido como esse no cuidado com os filhos do que olhar para a bagunça em sua casa e sentir que você não fez nada o dia todo. Os resultados virão, só que não no fim de cada dia, como pode acontecer em outros tipos de trabalho. Quando adotamos o hábito de escutar e deixar que a criança exerça um impacto sobre nós, criar os filhos se torna gratificante. Quando você se empenha em ajudar a fazer seus filhos se sentirem conectados e envolvidos com você e com as atividades que eles façam ou que vocês compartilham, está investindo para elevar o estado de humor habitual deles no futuro.

O ESTADO DE HUMOR HABITUAL DE SEU FILHO

A maioria de nós tem humores normais e latentes em que vivemos na maior parte do tempo, nosso estado de humor "padrão". Isso pode ser um pouco surpreendente, mas o tempo que você passa no vaivém natural de sua relação com seus filhos é um investimento que vai dar frutos em termos do desenvolvimento do estado de humor habitual deles. Embora possamos nascer com uma tendência a determinado temperamento, boa parte do que sentimos costuma se desenvolver em nossa relação com os outros, em especial com nossos pais. Quanto mais à vontade seus filhos parecerem, provavelmente porque recebem atenção sintonizada suficiente, mais provável se torna que o seu estado de humor habitual seja tranquilo, em vez de ansioso ou nervoso. Como muitos adultos, você pode ter precisado se esforçar na vida para aprender a relaxar porque, quando era bebê, se acostumou a sentir ansiedade, solidão ou a não ter suas necessidades supridas, e esses sentimentos se tornaram habituais. Gostaria de ressaltar que, obviamente, é normal que seus filhos sintam todo o espectro das emoções, e isso vai acontecer, mas é importante que eles tenham companhia em todos os seus humores, desde as lágrimas até os sorrisos, medos e raivas.

Quando as pessoas vão à terapia pela primeira vez, costumam considerar uma experiência poderosa simplesmente porque ter suas palavras escutadas exerce um poder tranquilizador. Talvez alguns de nós nem precisassem de terapia se tivessem sido ouvidos adequadamente no começo da vida. Estar disponível para observar, ouvir e se envolver com seus filhos de uma maneira que faça com que se sintam seguros, amados e importantes é um investimento em seu estado de humor habitual.

SONO

O sono é importantíssimo, não para os bebês e crianças, que dormem quando querem, mas para os pais. Trata-se de uma questão emocional. Os pais ficam nervosos e na defensiva ao falarem de suas estratégias para a hora de ir para a cama, especialmente quando acham que encontraram um método que funciona e então vem alguém como eu e diz: "Não é bom nem aconselhável deixar um bebê ou uma criança pequena chorando sozinho à noite. Essa não é uma forma de se relacionar com os filhos. É como tratá-los como objetos, e não como pessoas". Não estou dizendo isso para constranger você — não mesmo —, mas também não quero que bebês e crianças fiquem sozinhos à noite quando sentem que precisam dos pais. Não é agradável para uma criança, assim como não é para um adulto, chorar até pegar no sono ou se sentir solitária. Não fico à vontade com a ideia de manipulação ou "treinamento" como forma de se relacionar com uma pessoa, muito menos com crianças, que estão desenvolvendo sua personalidade e seus estilos de apego com seus cuidadores primários. O treinamento para o sono é deixar um bebê ou criança pequena chorar até pegar no sono ou até ter chorado por certo período e então ir acudi-lo depois de alguns minutos, mas, a cada noite, aumentando mais e mais esses minutos. Existem até estudos segundo os quais condicionar uma criança a não chorar pela sua atenção não faz mal para ela, mas pesquisas posteriores contradizem esses dados, apontando suas falhas e confirmando que o treinamento para o sono prejudica o desenvolvimento cerebral do bebê.

O que mais podemos aprender com as pesquisas sobre o treinamento para o sono é que esse método não elimina a necessidade que o bebê sente dos pais; o choro é eliminado pois o bebê desiste de tentar.

A obsessão pelo sono dos pais é fácil de entender, porque ter o sono interrompido pode deixar as pessoas exaustas. Mas acredito que nossa preocupação em querer obrigar nossos filhos a dormir, e dormir sozinhos, o quanto antes pode prejudicar nossa relação com eles e, consequentemente, interferir na sua capacidade de serem felizes mais adiante na vida. Os bebês e as crianças não aprendem a se tranquilizar e regular suas emoções sendo deixados sozinhos, e sim sendo acalentados por um cuidador, repetidas vezes. À medida que crescem, vão aprendendo a internalizar essa tranquilidade. Em outras palavras, aprendemos a nos acalentar sozinhos quando somos acalentados por outros. E, no começo, esse acalento é um trabalho de 24 horas por dia, o que pode ser um choque para pais de primeira viagem.

Se seus filhos associarem o sono ao conforto, à segurança e à companhia, eles vão gostar de ser colocados para dormir. Os problemas com o sono começam quando tentamos afastar nossos filhos de nós quando queremos que durmam. Assim, a hora de ir para a cama passa a ser associada com solidão e rejeição.

Na maior parte da cultura ocidental, parece haver um tipo de corrida para deixar as crianças sozinhas à noite. Pode ser porque priorizamos o ritmo rápido de nossa vida e o que imaginamos ser as expectativas da sociedade sobre nós em detrimento da necessidade de seguir nossos instintos de responder a um choro coercivo. As expectativas da sociedade em relação a pais e filhos podem ser contrárias à biologia. Precisamos lembrar que os filhos se separam naturalmente dos pais. Quando sabem que existe alguém à sua disposição, eles se sentem livres para se distanciar porque podem confiar que os pais estarão lá quando quiserem retomar o contato. Não estimulamos a independência deles afastando-os; ao fazer isso, estamos interferindo no processo de separação e o adiando, além de interferir no processo dos nossos filhos de formar um estilo de apego seguro. Todos os mamíferos dormem com seus filhotes, e com a maioria dos humanos não é diferente. Em países da Europa Meridional, Ásia, África, e América Central e do Sul, dormir no mesmo espaço que os pais é normal até os bebês terem desmamado completamente e, em muitos lugares além disso, como no Japão. Somos minoria no Ocidente por pensar que é aceitável deixar os bebês dormindo separados dos pais.

As noites são metade da vida de um bebê. Se eles criarem o hábito de sentir que não são ouvidos e atendidos e se sentirem solitários à noite, existe o risco de esse se tornar o estado de humor habitual deles. Se um bebê estiver chorando e sendo reconfortado pela mãe, pelo pai ou por outra figura familiar, o estresse é tolerável; se é deixado sozinho para chorar, é um estresse tóxico. No estresse tóxico, há um excesso do hormônio cortisol, que afeta negativamente a maneira como o cérebro do bebê é programado. Se você estava com um nível de exaustão tamanho que dormiu durante o choro coercivo do seus filhos uma ou outra vez, é improvável que isso tenha um efeito prejudicial sobre eles a longo prazo; é apenas quando criamos o hábito noturno de ignorar os choros de um bebê que está sozinho que pode haver uma ruptura que precisará ser reparada. Isso se faz aceitando os sentimentos dos seus filhos, sem tentar condicioná-los ou repreendê-los, mas estando ao lado deles e compreendendo seus sentimentos para que eles saibam que não estão sozinhos. É isso que precisamos fazer com filhos de todas as idades.

O sono é uma das áreas, assim como muitas nos cuidados com a criança, em que, quanto mais tempo dedicar no começo, menos precisará intervir no futuro para fazer reparações. A melhor maneira de se dedicar é com empatia, deitando-se com seus filhos ou simplesmente ficando com eles até que durmam. Assim, eles aprendem a associar o sono a se sentirem amados, acolhidos e seguros.

Você pode ter seus padrões de sono alterados enquanto dedica esse tempo fazendo companhia para a criança à noite, e isso é normal. Normalmente ajuda se, quando o bebê acordar, puder sentir o cheiro dos pais ou tocar neles, por isso dormir com seus filhos pode ajudar. Isso também poupa você de ter de se levantar para tranquilizar seu bebê.

Ninguém dorme a noite inteira. Um ciclo de sono típico para um adulto é de cerca de noventa minutos; no caso de um bebê, é de uma hora. Podemos pensar que dormimos de forma ininterrupta, mas, na verdade, o que fazemos é acordar, ou quase, e voltar a dormir logo em seguida. Se o bebê sentir que há alguém por perto e puder tocar em você, é menos provável que desperte completamente.

Não se repreenda se tentou fazer o treinamento para o sono. Talvez você não soubesse que, mesmo quietinhos, seus filhos podiam estar estressados, e que os hormônios de estresse se mantêm altos mesmo depois de silenciado o choro. Muitas crianças podem passar incólumes pelo treinamento para o sono — cada uma tem necessidades e sensibilidades diferentes —, mas, particularmente, eu nunca correria esse risco. Por favor, não jogue este livro fora em um acesso de fúria. Não quero que você sinta vergonha se tentou condicionar seus filhos a dormir ignorando ou adiando sua resposta aos choros deles. Existe tanta pressão da sociedade para forçarmos as crianças a ficarem sozinhas e quietas durante a noite que não é de admirar que acabemos nos rendendo a essa ideia. Vou apresentar alternativas. O treinamento para o sono é uma forma de condicionamento, não uma relação; é tratar seu bebê como um bichinho, em vez de um indivíduo, é tentar manipular a criança para ter uma noite silenciosa em vez de deixar que ela se distancie de você em seu próprio ritmo de acordo com suas próprias necessidades.

São poucos os que têm memórias pré-verbais, por isso não temos como lembrar como foi sermos deixados sozinhos para dormir quando nos sentíamos carentes e solitários — e, por isso, talvez não vejamos mal em perpetuar isso. Acredito que, além de tornar o desespero um sentimento habitual, o que o treinamento para o sono também pode perpetuar é a tendência a abafar esse sentimento de desespero, o que também afeta a capacidade de empatizar com o sofrimento dos outros. Existe a possibilidade de que o treinamento para o sono, além de condicionar um bebê a não chorar à noite, também possa contribuir para sentimentos de vergonha sobre precisar de alguém.

No começo, o bebê vai chorar todos os dias, a ponto de dar a impressão de que faz isso todas as horas do dia e da noite; uma criança pequena também vai chorar todos os dias; e, então, de maneira quase imperceptível, vai passar a chorar cada vez menos. À medida que você a consola, ela vai aprender a lidar com seus próprios sentimentos. Se esses choros forem ignorados, ela vai aprender a não compartilhar os sentimentos com você — e isso não vai ajudá-la a lidar consigo mesma. Ter seus sentimentos aceitos e amenizados é a base para a boa saúde mental.

Eu sei — isso tudo parece muito bom. Aqui estou eu, jogando fatos e opiniões em cima de você sem dó nem piedade e parecendo não notar sua exaustão. Desculpe. Mas existem boas alternativas ao treinamento para o sono. Existe o *co-sleeping*, em que vocês não se separam durante a noite para que o bebê não se sinta abandonado e sozinho. Mas nem todos conseguem ou querem dormir ao lado de um bebê. Uma alternativa é o que a neurocientista Darcia Narvaez chama de incentivo ao sono.

O QUE É O INCENTIVO AO SONO?

Incentivar o sono não é obrigar seu bebê a dormir ignorando suas tentativas de comunicação. É incentivar o bebê a dormir dentro dos parâmetros de tolerância dele. É importante que seus filhos se sintam seguros nesse processo. Primeiramente, explica a professora Navaez, não tente o incentivo ao sono antes dos seis meses de idade. No primeiro ano de vida, as partes de processamento social e emocional do cérebro de seu bebê — em outras palavras, a base para a saúde mental dele — estão se programando em relação à sua interação amorosa. Portanto, não inicie esse processo antes que seu bebê esteja pronto. E cada um fica pronto em um momento diferente.

Como mencionei antes, os bebês não nascem com a capacidade de acreditar que um objeto ainda existe quando não podem vê-lo; é o que os psicoterapeutas chamam de "permanência do objeto". Por isso, quando são deixados sozinhos, eles podem se sentir abandonados. Nossa consciência de que as pessoas continuam existindo mesmo quando não podemos vê-las ou ouvi-las é tão arraigada que é fácil ignorar que também tivemos de aprendê-la.

Quando o bebê desenvolve essa noção de "permanência do objeto" — também nesse caso, não vou dizer quando isso acontece, uma vez que cada pessoa se desenvolve em velocidades diferentes e, mesmo depois, é possível ter cognitivamente o conhecimento de permanência, mas não senti-lo no nível corporal —, é mais fácil começar a incentivar a separação à noite.

O primeiro passo é notar onde e quando seu bebê se sente seguro enquanto dorme. Pode ser enquanto é amamentado e ser embalado até dormir caso acorde. Essa "base de conforto", segundo Narvaez, deve ser o seu ponto de partida.

Na sequência, qual é o menor passo que você pode dar para se afastar da base? Pode ser parar de acalentar o bebê quando ainda está sonolento mas não dormindo e, em vez disso, abraçá-lo para que ainda sinta seu corpo e seu batimento cardíaco. Se seu bebê aceitar esse passo, repita-o para que se torne a nova base de conforto antes de seguir para o passo ou incentivo seguinte: mais um movimento de separação, como se deitar com ele quando estiver sonolento e acariciar sua testinha, ou o que quer que acalente seu bebê. O passo seguinte pode ser levar o bebê da cama para um berço próximo. Na sequência, afaste um pouco o berço até, depois de um tempo, levá-lo para outro quarto. Em qualquer estágio, se seu bebê ficar angustiado, retorne à base de conforto.

Minha história:

Meu primeiro incentivo foi parar de amamentar quando minha filha ainda estava sonolenta e a abraçar. Quando essa se tornou sua nova base, o incentivo seguinte foi passá-la para o pai a embalar até ela dormir. Dessa forma, podíamos ter um adulto com ela enquanto o outro dormia em outro cômodo.

Quando tinha dois anos, ela pediu um quarto só para si, mas ficou chocada quando chegou a noite e sugerimos que dormisse lá sozinha. "Ah, não é para dormir, é só para brincar", ela disse. Demos mais um incentivo dizendo que ficaríamos com ela até que pegasse no sono e, se acordasse, poderia vir para nossa cama, desde que não nos acordasse e não falasse nada. Ela aceitou esse acordo e, às vezes, acordávamos com nossa filha na cama, mas às vezes não.

Aos três anos, ela passou a dormir só no próprio quarto e, com quatro, estava feliz e segura o suficiente para pegar no sono sozinha, o que fazia por vontade própria, sem nenhum incentivo. Mas eram os seus próprios termos: ela podia escolher se dormiria sozinha ou se pediria a um de nós que ficasse lá até que estivesse pronta. Ela não resistia à hora de ir para a cama porque sempre foi um lugar de conforto, e não de solidão.

O importante é que você faça cada um desses incentivos dentro da base de conforto dos seus filhos. Cada um se desenvolve em velocidades diferentes e tem necessidades diferentes de proximidade e de seu próprio espaço — por isso, o momento certo dependerá do seu bebê. O que parecia certo com seu primeiro filho pode não ser o caso com o segundo. O ideal é que seus filhos associem a cama a um alívio do cansaço, a conforto, aconchego e sono, e não a separação, solidão e desespero. Se a cama estiver relacionada a coisas boas, eles não ficarão relutantes na hora de ir para lá. Isso vai ajudá-los a dormir o suficiente ao longo da infância, o que, como você sabe, é importante para o desenvolvimento deles.

Fazer o processo de incentivo ao sono (em vez de treinamento para o sono), usando estímulos em vez de punição, vai demorar mais tempo, mas acredito que vale a pena. O resultado será mais duradouro e tornará a separação para dormir mais fácil para as crianças à medida que se desenvolvem, o que contribui para uma relação boa entre você e seus filhos. Receber incentivos ao fazer alguma coisa é ótimo para uma relação, mas ser enganado, ignorado ou manipulado a certo comportamento não vai enriquecer um laço para a vida toda. Entendo que é difícil adotar uma perspectiva de longo prazo em momentos de grande cansaço, mas, repito, acredito que vale a pena.

Muitas das coisas que queremos que nossos filhos façam podem ser feitas com o mínimo de orientação ou seguindo o nosso exemplo. Incentivá-los a sair um pouco, mas não muito, da zona de conforto costuma ser uma maneira de avançar caso precisem de um pouco de ajuda. Lembre-se de que, se fizermos algo que eles podem fazer por conta própria, existe o risco de prejudicarmos sua autonomia.

AJUDAR, NÃO RESGATAR

Quando a criança está no comando do processo de separação, é menos propensa a se tornar insegura e dependente do que quando os pais a deixam sozinha antes que esteja pronta. Isso vale para a hora de ir dormir à noite, o momento de começar a ficar na creche, ir a uma festa sozinha e qualquer outra situação em que a criança fique sem você.

Você pode dar "incentivos" para estimular seus filhos a aceitar essas situações — isto é, levá-los um pouco além da sua base de conforto —, mas, se tiver pressa demais para que uma criança se torne independente, isso vai acabar acarretando em trabalho a mais, porque prejudica sua relação e você vai precisar repará-la. Você pode achar que, ao fazer com que seus filhos se virem sozinhos, está estimulando a independência, porém é mais provável que eles sintam que estão sendo afastados e vejam isso como uma espécie de punição. Minha mensagem aqui é para confiar que seus filhos vão se separar em seu próprio ritmo, em vez de impor o seu.

No tempo deles, seus filhos vão dormir sozinhos a noite toda, vão se sentar, engatinhar, se vestir, comer alimentos sólidos, preparar o próprio café da manhã e pagar o próprio aluguel. Quando forçamos nossos filhos a fazer as coisas antes que estejam prontos, tanto eles como nós ficamos frustrados. Muito do que nos esforçamos tanto para ensiná-los e obrigá-los a fazer, eles teriam aprendido sozinhos em seu próprio tempo. Nossa pressa de adiantar o desenvolvimento pode acabar retardando o processo.

Por exemplo, quando colocamos um bebê na posição sentada em vez de esperar que se apoie sozinho, negamos a ele a oportunidade de aprender isso por conta própria. Um bebê não precisa de apoios que restrinjam seus movimentos para se sentar; precisa apenas de tempo e espaço para descobrir o movimento que deve fazer para isso. Se for deixado à vontade, ele vai rolar e se contorcer, aprender a engatinhar, sentar, levantar e andar por conta própria. E também vai estar aprendendo a aprender. Não precisamos interferir em nada disso.

Na realidade, bebês que são escorados com frequência antes de conseguirem se sentar naturalmente, antes de os músculos certos terem se desenvolvido, às vezes não conseguem engatinhar direito e, em vez disso, aprendem uma espécie de balanço assimétrico a partir de uma posição sentada que pode interferir na melhor postura para o corpo mais adiante. Receio que esse tenha sido o caso da minha filha. Não se preocupe: você não tem como fazer tudo certo. Tenho consciência de que, quando falo sobre a "melhor prática" de criar os filhos, você pode já ter passado pelo estágio de desenvolvimento que descrevi e se sentir mal porque agiu de outra maneira. Mas o que importa é a sua relação, não se começou a desmamar cedo ou ficou escorando seu bebê para sentá-lo. Minha filha hoje faz Pilates — é uma mulher adulta que está corrigindo sua postura. Teria sido ótimo se eu tivesse essa informação quando precisava, mas não era o caso. Vou continuar repetindo: não é o erro que importa, mas fazer as reparações, mesmo que seja Pilates ou qualquer outro tipo de terapia quando seus filhos forem mais velhos. Não sinta vergonha se seus filhos precisarem de algum tipo de ajuda quando forem adultos por causa de algo que você fez de errado quando eles eram mais novos. Ficar na defensiva em relação a nossos erros só os agrava, em vez de fazê-los desaparecer.

    O exemplo de sentar pode parecer muito específico, mas serve para fazer uma observação de caráter mais geral sobre o quanto ajudar: não tire a autonomia dos seus filhos fazendo por eles algo de que são capazes sozinhos, especialmente se você lhes der um pouco de espaço para isso. Você pode achar o conceito de incentivo ou estímulo útil na hora de decidir como ajudar.

Freya, que tem cinco meses, duas semanas e três dias, está deitada de bruços em um tapete na sala de estar. Seu pai está lendo em um sofá ali perto. Freya dá um gritinho; está tentando pegar uma bola de pingue-pongue que está no chão perto dela. O pai ergue os olhos e vê o problema. Ele deve resolver isso? Ela olha para ele e chora de frustração. "Você quer muito aquela bola, não quer?", diz o pai enquanto se ajoelha no chão perto dela. "Consegue alcançar?". Ele sorri de maneira encorajadora, olha para ela e depois para a bola. Freya para de chorar e começa a erguer os joelhos e consegue se contorcer na direção da bola se apoiando com as mãos. Ela deita de novo e estende o braço. Seus dedos tocam a bola, que vai para mais longe. O pai coloca a bola de volta onde estava e Freya tenta outra vez; agora, ela agarra a bola e grita de alegria, fazendo o pai rir junto. "Você se esforçou bastante. Parabéns", ele diz.

Claro, como pais em um cenário como esse, é difícil saber se devemos resgatar, incentivar ou apenas observar. Prestando atenção aos sinais dos seus filhos, você vai conseguir acertar muitas vezes. Se resgatá-los em situações em que poderiam se virar sozinhos, você prejudica a autonomia e o poder de ação deles, mas, se não ajudar quando estiverem desamparados, não estará sendo sensível com eles. No exemplo dado, o pai de Freya acerta em cheio. Faz isso naturalmente, sem pensar, porque é assim que agiram com ele. Se não foi assim que você aprendeu a agir, é uma boa ideia adotar esse estilo de maneira consciente.

Exercício: Deixe seus filhos tomarem a iniciativa
Crie o hábito de estar com seus filhos, sem fazer nada, apenas ficando com eles e agindo de acordo com suas ini-

ciativas. Considere a possibilidade de observá-los e ajudá-los em vez de resgatá-los. Ajude-os a resolver problemas em vez de resolver por eles.

BRINCAR

A própria palavra implica que a brincadeira é uma coisa trivial — mas trata-se de algo extremamente importante. Enquanto brinca, o bebê começa a desenvolver a concentração e cria o hábito das descobertas, sendo uma delas o prazer de se concentrar no que está fazendo. Além disso, passa a relacionar ideias e alimentar a imaginação. Também é por meio da brincadeira que as crianças aprendem a se conectar com seus pares. A brincadeira é a base da criatividade e do trabalho, da exploração e da descoberta. Todos os mamíferos brincam, porque brincar é um treinamento para a vida. Brincar é o trabalho do seu filho — e precisa ser respeitado como tal.

Quando li pela primeira vez a obra de Maria Montessori, fiquei surpresa quando ela comentou que uma criança concentrada em uma atividade não deve ser interrompida. Eu não estava acostumada à ideia de que, quando uma criancinha está empurrando um caminhão de brinquedo pelo carpete e fazendo barulhos de motor, na verdade está trabalhando. Está absorta, está concentrada, está usando a imaginação e construindo uma narrativa; sua atividade tem começo, meio e fim. E, quando se permite que sejam repetidos muitas vezes, esses processos criam uma fundação sólida para realizar tarefas e se concentrar.

O trabalho de uma criança, porém, começa antes desse estágio. Seu bebê precisa de um lugar seguro para brincar, onde possa tocar todos os objetos ao seu alcance. Se ouvir "não" o tempo todo, vai perder a concentração. Um bebê que não é interrompido pode passar minutos brincando com um objeto simples como um lenço de papel. Pode aprender a pegá-lo, torcê-lo, derrubá-lo e pegá-lo de novo. Um bebê não se entedia com uma atividade, ao contrário de você. Enquanto isso acontece, seu trabalho é apenas observar, seguir o olhar dele, mas não o direcionar.

As crianças não precisam de muitos brinquedos. Como você deve saber, o clichê de preferirem a caixa ao artigo dentro dela é muito verdadeiro. A filha de dois anos de um conhecido meu ganhou uma pilha grande de brinquedos de seus pais, amigos e parentes corujas. Uma de suas tias também deu uma garrafa de limonada de plástico na forma de um limão. Qual foi o brinquedo favorito da menina? A garrafa de limão, claro! Brincando com a garrafa, ela aprendeu a soprar água para dentro dela, a sugar o líquido para fora e a direcionar um jato d'água também. Dessa forma, a casa de bonecas chique ficou quase intocada, assim como as princesas da Disney e a cozinha de brinquedo e todas as outras besteiras que tinham sido compradas para ela. As crianças não precisam de mais do que alguns brinquedos simples: alguns carrinhos, uma caixa de papelão, um quadrado de qualquer material, uma boneca, um ursinho de pelúcia e algumas peças de montar são tudo de que uma criança necessita. Certas fantasias também podem incentivar a imaginação. Menos é mais. Se ela tiver apenas alguns brinquedos — uma gaveta ou um baú, e alguns materiais de pintura como tinta e papel —, tudo pode ser guardado em um só lugar depois da brincadeira.

Assim como os adultos, as crianças ficam confusas e paralisadas se tiverem muitas opções. Podemos achar que preferimos ter muitas alternativas, mas os experimentos do psicólogo Barry Schwartz mostram que não. Em um deles, o pesquisador descobriu que as pessoas ficavam mais felizes com uma caixa com uma seleção de seis chocolates em vez de uma de trinta — e ficaram mais satisfeitas com o que escolheram. O que acontece quando temos opções demais é que ficamos com medo de fazer a escolha errada. Em média, uma criança no Ocidente tem mais de 150 brinquedos e ganha mais setenta a cada ano. Isso é opressivo para as crianças. Com brinquedos demais, os pequenos têm mais chances de passar de uma atividade a outra em vez de se concentrar profundamente em uma só. Comprar mais brinquedos é uma prática comum de pais que acham que isso vai fazer seus filhos quererem ocupar menos seu tempo. Mas adivinhe só? Não funciona.

As crianças precisam brincar livremente onde escolherem e guiarem a própria atividade para que possam desenvolver a criatividade. Mas, às vezes, querem que os pais brinquem com elas. E é de você que elas precisam, e não de um brinquedo novo.

Você pode achar cansativo e pode não ser sua ideia de diversão brincar de "festa show" ou qualquer outra coisa que as crianças inventem. Pode ser frustrante quando um filho insiste para brincarmos, especialmente se tivermos uma pilha de coisas para fazer. No entanto, descobri que dedicar minha energia nas primeiras brincadeiras valia a pena. Quando minha filha queria me envolver, pedia que eu fizesse a "voz do ursinho". Depois, com o tempo, acabou tomando esse papel para si e ela mesma começou a fazer a voz do ursinho.

Brincar é um momento para deixar a criança assumir a iniciativa, escolher uma atividade e direcionar o papel que você vai fazer. Você provavelmente vai conseguir resolver aquela pilha de coisas se ajudar seus filhos a brincar e ir saindo aos poucos à medida que eles ficam mais entretidos. É mais fácil para você e melhor para eles se a brincadeira vier primeiro.

Por outro lado, se você disser à criança que está ocupado demais para brincar, ela provavelmente vai continuar causando interrupções e impedindo você de fazer seu trabalho. Você também vai acabar passando a mensagem que a criança é chata ou incômoda, e isso pode fazer com que ela se sinta solitária, nervosa ou triste, talvez até insegura sobre a relação com os pais. Depois que a criança começa a brincar e fica contente, pode continuar a brincadeira sem precisar que você preste atenção ou participe.

Vai ser preciso dedicar tempo para seus filhos de qualquer maneira. Invista positivamente no começo; assim, será menos provável que tenha de lidar com efeitos negativos depois. Isso vale tanto para a hora de brincar como para muitos outros momentos.

Um dia desses, eu estava observando um pai e uma filha na praia. A menina parecia ter cerca de seis anos. Quando eles chegaram, era "Papai, faz isso", "Vem comigo", "Vem pra água", "Pega o balde", "Constrói isso". O pai fazia tudo que ela mandava. Depois de um tempo, a menina foi ficando cada vez mais concentrada e envolvida na brincadeira com a areia úmida onde a maré tinha descido. O pai estava perto, mas apenas observando, sem participar — e ele conseguiu ler seu jornal também. Foi um ótimo exemplo de como a criança vai encontrando gradualmente seu "piloto automático" por conta própria, e assim seu pai também pôde ter um pouco de lazer.

Depois de um tempo, veio outra menina e ficou observando por um tempo, e depois de um tempo começou a se envolver na brincadeira. Dava gosto de ver. Se o pai não tivesse começado brincando com ela e tivesse partido direto para seu jornal, a menina podia ter ficado preocupada com sua relação com ele, e essa agitação não permitiria que se concentrasse na brincadeira nem que fizesse uma amizade nova.

A maioria das crianças também gosta de jogos organizados, como esportes ou baralho, como parte do tempo passado em família. Você pode associar esses jogos a amor e gostar de participar. Mas, se não brincavam com você quando era criança, pode achar muito incômodo participar ou mesmo organizar esses jogos. Preste atenção se o jogo está desencadeando alguns sentimentos do passado em você. É possível superar esses sentimentos sabendo que eles não pertencem ao presente ou garantir que outras crianças ou adultos estejam perto para ajudar a facilitar a brincadeira e tentar participar de vez em quando.

Lembro que, uma vez, estávamos passando os dias entre o Natal e o Ano-Novo em três famílias. O tabuleiro de Banco Imobiliário foi trazido, para a alegria da maioria dos adultos e o entusiasmo das crianças. Mas um dos pais se levantou e foi pegar seu casaco, declarando que voltaria os seis quilômetros a pé para casa e deixaria o carro para a mulher e o filho. Eu o segui até o hall de entrada. Ele me contou que, quando era criança, sempre ganhava jogos de tabuleiro no Natal, mas ninguém nunca se esforçava para brincar com ele. Por isso, esses jogos lhe traziam tanta tristeza que, se ficasse, tinha medo de estragar a diversão de todo mundo. Não tenho um final feliz para essa história, infelizmente, mas o que me impressionou foi como aquilo que é estabelecido na infância pode ficar para sempre.

As crianças se desenvolvem quando podem brincar com pessoas de idades variadas. Se você juntar dois bebês muito pequenos, é mais provável que eles façam brincadeiras paralelas em vez de brincar um com o outro. Atividades que misturem pessoas de diferentes idades ensinam as crianças a brincar de uma forma que com crianças da própria faixa etária não seria possível. Crianças mais novas podem aprender mais com amigos mais velhos do que conseguiriam apenas com colegas da sua idade. A maior parte do nosso aprendizado vem de observar os outros; crianças mais velhas ensinam às mais novas um comportamento mais sofisticado e servem de exemplos, e também são capazes de oferecer mais apoio emocional. Com isso, aprendem a ensinar, estimular e liderar.

Ao se lembrarem da infância, muitos adultos concluem que seus momentos mais felizes foram quando havia crianças de todas as idades com quem podiam inventar jogos, correr de um lado para o outro e ter muito espaço para brincar. Esses períodos normalmente aconteciam nas férias, com primos, amigos, acampamentos, festivais, viagens ou dias em um parque ou jardim perto de casa. E incluíam adultos de confiança por perto a quem recorrer se necessário, proporcionando comida e limites para que se sentissem seguros. Receio que, com atividades estruturadas demais depois da escola, as crianças possam não estar tendo tempo suficiente em um ambiente com amigos de diferentes idades para organizar sua própria brincadeira. A maioria provavelmente precisa de mais tempo fora de casa com outras crianças e menos dentro de casa sendo orientadas ou ficando na frente de telas. Os dispositivos devem ser usados com cautela. Eles podem se tornar viciantes, mas proibi-los por completo seria só mais uma forma de punição.

Exercício: Crie bons hábitos de brincadeiras
- Não interrompa uma criança que estiver concentrada.
- Quando uma criança pequena quiser brincar com você, comece com a atividade que ela escolher. Depois, quando ela estiver tão entretida que não precise mais de você, recue.
- Com crianças mais velhas, não pense que é obrigação sua providenciar algum entretenimento sempre que seus filhos não souberem o que fazer. Quando uma criança estiver entediada, acredite nela e diga para ter confiança em si mesma de que vai encontrar algo divertido para fazer. O tédio pode ser um componente necessário da criatividade.
- No entanto, dedique um tempo para se divertir com seus filhos fazendo atividades que vocês gostem: jogos de tabuleiro, jogos de cartas, esportes, caraoquê ou o que vocês preferirem.
- As crianças se desenvolvem brincando com pessoas de todas as idades.

6. Comportamento: Todo comportamento é comunicação

Coloquei a seção sobre comportamento por último porque é muito mais fácil se comportar melhor quando as outras questões tratadas neste livro estiverem resolvidas. Isso inclui, no caso de uma criança, ter seus sentimentos levados em consideração em relações cheias de amor e caracterizadas pelo apoio. Todos nos comportamos melhor quando não estamos desesperados por contato e conexão, quando nos sentimos bem.

A mão que balança o berço domina, *sim*, o mundo. É uma obrigação nossa para com o mundo amar mais do que julgar e levar em consideração os sentimentos dos nossos filhos em vez de os desdenhar automaticamente como bobos ou errados. Tratar bebês e crianças com consideração e respeito não significa deixar de impor limites.

Nesta parte, vamos examinar o jogo de ganhar ou perder, as qualidades que precisamos desenvolver para nos comportarmos bem, em que grau os pais precisam ser rígidos, dependência e birras, e quando e como definir limites.

MODELOS

Seu filho vai imitar o seu comportamento — se não agora, no futuro. Tive um paciente uma vez que me explicou que era bem diferente do seu pai, que dirigia grandes empresas com fins lucrativos como um autocrata. Mas, embora meu paciente trabalhasse no terceiro setor, a maneira como chefiava seu departamento era — adivinhe só — autocrática. Nosso comportamento é provavelmente a maior influência sobre a conduta dos nossos filhos. Pensamos que somos indivíduos autônomos, mas todos afetamos uns aos outros. Somos apenas partes de um sistema, e os papéis que criamos para nós serão em reação aos papéis que outras pessoas representam ao nosso redor. Portanto, o comportamento dos seus filhos e o seu não são isolados, são criados em conjunto pelas pessoas e pela cultura ao seu redor.

Como você descreveria seu comportamento? Você sempre demonstra respeito pelos outros seres humanos? Leva em consideração os sentimentos deles? O seu "bom comportamento" é profundo ou não passa de boas maneiras? Você é agradável no convívio superficial, mas condena as pessoas pelas costas? Você se prende em joguinhos incansáveis de superioridade? Qualquer que seja a sua conduta, você está ensinando seus filhos a agirem da mesma forma, incluindo todos os comportamentos que você não aprova.

Se você sempre age com gentileza e consideração em relação aos seus filhos e aos dos outros, seus filhos provavelmente vão seguir seu exemplo... no futuro. Até lá, podem não se comportar "bem" o tempo todo porque, antes da linguagem, o comportamento é o único meio pelo qual eles conseguem comunicar o que está acontecendo na vida deles. E isso continua valendo por alguns anos mesmo depois que eles desenvolvem a linguagem. É preciso ter prática e habilidade para reconhecer o que estamos sentindo, para expressar isso em palavras e descobrir do que precisamos. Até os adultos — mais ainda, até os poetas — podem achar isso difícil. Não acredito que exista alguém que seja inteiramente bom ou mau. Vou além: eu diria que os conceitos de "bom" e "mau" não são úteis. É verdade, embora bastante raro, que algumas pessoas nascem sem a capacidade de sentir empatia, por mais que veja exemplos disso. Mas ter um cérebro programado de maneira diferente não significa de forma nenhuma que você seja "mau". Só estou entrando nessa discussão de bom e mau para dizer que o comportamento de algumas pessoas é inconveniente ou prejudicial aos outros. Ninguém nasce mau. Portanto, em vez de rotular o comportamento como "bom" ou "mau", descrevo-o como "conveniente" ou "inconveniente".

O comportamento, como eu disse, não passa de comunicação. As pessoas — e as crianças em especial — agem de maneiras inapropriadas e inconvenientes porque não encontraram formas alternativas, mais eficazes e convenientes de expressar seus sentimentos e necessidades. O comportamento de algumas crianças é inconveniente para os outros, mas não é "mau".

Seu trabalho é decifrar o comportamento dos seus filhos. Em vez de dividi-los em partes "boas" e "más", existem questionamentos que você precisa se fazer. O que o comportamento deles está tentando dizer? Você pode ajudá-los a se comunicar de uma forma mais conveniente? O que eles estão dizendo com o corpo, com barulhos e com as palavras que escolhem? E uma pergunta muito difícil a fazer: como o comportamento deles é criado em conjunto com o seu?

O JOGO DE GANHAR E PERDER

Uma vez, quando minha filha, Flo, tinha três anos, ela quis ir caminhando até o mercado em vez de ir no carrinho, então fomos andando mesmo. Na volta, ela simplesmente parou e sentou nos degraus de entrada de outra casa. Meu instinto foi pensar: "Ah, não!" porque, na minha cabeça, eu estava mais no futuro do que no presente; já estava pensando em guardar as compras para poder relaxar e descansar. Não estava nos meus planos descansar no caminho de casa. Mas Flo estava descansando naquele momento.

Então percebi que não importava a hora em que chegássemos em casa. Coloquei as sacolas no chão e me agachei ao lado dela. Flo estava olhando para uma formiga que seguia uma rachadura na calçada. Às vezes, o bichinho desaparecia dentro da rachadura e, então, saía de novo, fiquei olhando com ela.

Um senhor de idade chegou perto de nós e perguntou para mim: "Ela está ganhando?". Entendi na hora o que ele quis dizer. Ele queria saber se, na batalha de vontades entre mãe e filha, ela estava conseguindo o que queria à minha custa. Eu conhecia esse ponto de vista dos mais velhos. Meus pais acreditavam nele a ponto de pensar que, se uma criança conseguisse demais o que queria, fosse o que fosse, seria ruim para eles.

Mas você e seus filhos estão do mesmo lado: vocês querem se sentir contentes, em vez de frustrados. Querem conviver bem e se comportar bem. O velhinho sorria para nós com o ar de quem sabe das coisas. Só estava tentando ser simpático, por isso não discuti. Não disse algo como "Estamos numa relação, não numa batalha". Respondi apenas: "Estamos observando uma formiga", e retribuí o sorriso.

Ele seguiu seu caminho, e a formiga também. Eu e Flo nos levantamos e seguimos em frente.

Como mencionei antes, todo comportamento é uma forma de comunicação, portanto, por trás do comportamento, você vai encontrar sentimentos. Depois que descobrir os sentimentos por trás de qualquer comportamento em particular, demonstre empatia e então, se conseguir exprimir o sentimento em palavras, ajude a criança a usar a linguagem verbal para se expressar, e assim ela vai sentir menos necessidade de agir em função desses sentimentos.

No exemplo acima, percebi que Flo, desacostumada a caminhar por tanto tempo, estava cansada e queria descansar. Pensei em como ela devia estar confusa por todas as visões e sons ao redor — ela poderia ainda não ter aprendido a bloquear os menos relevantes, como um adulto faz de maneira automática, e isso podia estar por trás da necessidade de se concentrar em apenas uma coisa. Ajuda mais pensar em uma situação do ponto de vista de uma criança do que do seu. O meu aqui teria sido: quero voltar para casa; ela está me impedindo; é minha vontade contra a dela.

Tradicionalmente, acreditava-se que não se deveria deixar que as crianças conseguissem o que queriam. Acho que era isso que o velho estava tentando dizer com seu comentário "Ela está ganhando?". Estava seguindo a lógica de "Você está dando corda para se enforcar". Escuto isso o tempo todo quando as pessoas falam sobre birras. Os pais parecem ter tanto medo das birras que simplesmente dar atenção a uma, segundo eles, faz com que a criança nunca passe dessa fase. Nesse jogo dos pais de não deixarem as crianças vencerem, ninguém sai ganhando. Existe apenas manipulação, em vez de uma relação mútua. O jogo não é real. É uma coisa que os pais inventam.

Essa estratégia se baseia na fantasia do que vai acontecer no futuro em vez do que está acontecendo no presente. O que estava funcionando naquele momento era que Flo estava descansando antes de continuar nossa caminhada. O jogo de ganhar e perder pode se enraizar como uma dinâmica e prejudicar os relacionamentos. Ao dominar uma criança, você a ensina a dominar. E se seus filhos criarem o hábito de pensar que é normal e desejável impor sua vontade sobre os outros? Será que os coleguinhas vão gostar deles se agirem dessa forma?

Se você agir como se boa parte da criação dos filhos se resuma a impor sua vontade sobre eles, os padrões de relacionamento que eles vão aprender com isso podem se tornar danosos. Se uma criança aprende uma opção limitada de papéis — o "agente" e o "paciente" ou, para colocar em outros termos, o dominador e o submisso —, isso limita consideravelmente seu potencial como pessoa. Por exemplo, se os papéis que ela tem lembram mais o de opressor e vítima, pode se tornar o terror da vizinhança ou se colocar automaticamente no papel de vítima.

O jogo de ganhar e perder também tem consequências para o repertório emocional do seu filho. Perder uma batalha de vontades pode muitas vezes levar à humilhação. E a consequência disso não é, como a origem da palavra possa sugerir, tornar a pessoa humilde, mas sim raivosa. Essa raiva pode se voltar para dentro, levando à depressão, ou para fora, contra o mundo, resultando em comportamentos antissociais.

Então, se o que importa não é ganhar ou perder, qual é a melhor forma de ajudar uma criança a se comportar de maneira apropriada e conveniente a todo momento? Em geral, manter o que funciona no presente, o que se baseia na realidade, em vez do que você teme que possa acontecer no futuro com base em uma fantasia, é uma máxima útil para seguir com seus filhos.

MANTER O QUE FUNCIONA NO PRESENTE EM VEZ DO QUE VOCÊ FANTASIA QUE POSSA ACONTECER NO FUTURO

Uma paciente minha, Gina, estava desmamando a filha. Sua única maneira de conseguir fazer a filha se alimentar era cantar para ela enquanto a menina comia legumes e macarrão sentada em um tapetinho especial no meio da sala. Assim, a criança ficava feliz e, como a comida estava entrando, minha paciente ficava feliz também.

Às vezes, contamos histórias sobre o futuro para nós mesmos: e se ela só conseguir comer se tiver alguém cantando? E se ele nunca aprender a dormir na própria cama? E se ela nunca largar a chupeta? E se ele levar o polvo de pelúcia para o primeiro dia de trabalho? Mas essas histórias não passam disso: histórias. No exemplo anterior, se Gina tivesse pensado: "E se minha filha só comer desse jeito para sempre? E se nunca aceitar comer à mesa?", ela poderia ter ampliado essa preocupação para o horário de almoço na escola, os restaurantes, talvez até com o primeiro encontro da filha. Mas, acredite em mim, quase tudo nas crianças é uma fase. Portanto, não tem problema manter o que funciona no presente, por mais estranho que pareça.

Acho que manter o que funciona para todos agora é especialmente útil quando o assunto é dormir. Se a única maneira para todos conseguirem dormir é se você juntar duas camas e empilhar a família inteira, não se preocupe com o amanhã: durma hoje. Mais tarde, seus filhos vão querer uma cama só para eles. Vão se cansar dos seus roncos.

Se o que funciona deixar de funcionar, promova uma mudança em prática, mas uma em que todos saiam ganhando, na medida do possível, ou pelo menos em que não haja vencedores ou perdedores. Demonstrar flexibilidade vai tornar isso mais fácil.

AS QUALIDADES DE QUE PRECISAMOS PARA NOS COMPORTAR BEM

Como eu disse, seu trabalho é dar o exemplo do bom comportamento, lidar com seus filhos e com as outras pessoas com a mesma atitude empática e torcer para que eles adotem esse comportamento também. Além disso, há quatro habilidades que todos precisamos desenvolver para socializar e nos comportar de maneira conveniente.

São elas:

1. Capacidade de tolerar frustrações

2. Flexibilidade

3. Habilidades de resolução de problemas

4. Capacidade de ver e sentir do ponto de vista dos outros

Para colocar isso em contexto, consegui (1) tolerar minha frustração quando Flo quis se sentar em um degrau no caminho de volta do mercado quando eu queria ir para casa. Fui (2) flexível porque mudei minha expectativa sobre a velocidade do progresso que faríamos em nossa caminhada de volta. Resolvi o problema (3) de Flo precisar de um descanso permitindo que ela fizesse uma pausa e (4) usei minha capacidade para ver como podia ser essa vontade de parar um pouco da perspectiva de Flo. E, além disso, consegui ver a situação do ponto de vista do velhinho também, de modo que fui capaz de me comportar de maneira conveniente tanto com Flo como com ele.

Algumas crianças aprendem as quatro habilidades de comportamento socializado de maneira natural porque imitam aqueles ao seu redor. Mas a idade em que as crianças atingem qualquer marco, incluindo esses, é muito variada. Algumas conseguem ler antes dos três anos; eu só aprendi com fluência aos nove. Algumas conseguem correr de um lado para o outro enquanto outras ainda preferem engatinhar com um ano e seis meses de idade. E, assim como habilidades físicas são aprendidas em idades diferentes, as crianças também desenvolvem cada uma de suas habilidades comportamentais em momentos que não coincidem com os de seus pares.

Ouço muitos pais falarem que seu filho os está "deixando malucos!", o que se traduz por "Não consigo fazer meu filho parar de gritar/ chorar/ reclamar/ pedir" ou qualquer comportamento que os esteja irritando. Acredito que, quando as crianças se comportam de uma maneira vista como inconveniente, isso não pode ser considerado uma escolha feita com a mesma consciência de um adulto. As crianças querem ser amadas por você, querem se conectar, querem ser amigas. Às vezes, querem tanto sua atenção que mesmo uma atenção negativa é melhor do que não receber atenção nenhuma.

Para controlar suas próprias emoções perto dos seus filhos, pode ser útil conseguir entender a emoção e as circunstâncias que fizeram a criança se comportar de uma maneira que você considera difícil.

Algumas crianças parecem ser difíceis de entender e acalmar desde o começo. Pode ser cólica ou algum outro desconforto, como não gostar de luzes ou barulhos, ou querer uma soneca longa, ou estar cansada ou com medo, ou ser muito sensível ou muitas outras coisas. Muitas vezes, podemos não fazer ideia da causa da angústia, mas isso não quer dizer que não devamos tentar. Por outro lado, uma criança que era fácil de acalentar quando bebê pode ter dificuldades em lidar com o autocontrole depois. Tranquilizar e aceitar seus filhos em qualquer estágio em que estejam tem mais potencial de ajudar a incentivá-los a seguir para o estágio seguinte do que perder a paciência com eles.

Muitas vezes, a frustração de uma criança surge quando a dificuldade para fazer alguma coisa é grande demais e ela não consegue dar conta. O momento em que as crianças mais se frustram é logo antes de dominarem um novo estágio ou habilidade. Antes de conseguirem caminhar, falar, pensar, escrever, serem sexualmente ativas, independentes, é quando estão mais irritadiças. Você pode pensar no acesso de raiva, birra ou mau humor inconveniente dos seus filhos como um marco de desenvolvimento que ainda não foi alcançado em vez de uma intervenção planejada e intencional da parte deles. Quando vemos uma criança fazendo birra, percebemos que ela não está gostando. Ninguém iria querer se sentir daquela forma se pudesse escolher.

Outra coisa que se diz muito é que as crianças se comportam de uma forma que é inconveniente para os outros porque os pais são permissivos. Isso não é verdade: muitas pessoas permissivas conseguem criar filhos cujo comportamento não é um problema nem para eles nem para os outros, e pais rigorosos às vezes têm filhos que, por mais que sejam tratados com firmeza e coerência pelos responsáveis, se comportam de maneira inconveniente. Às vezes, o fato de uma criança se comportar ou não de maneira conveniente não está tão relacionado à rigidez ou à permissividade dos pais, e sim à velocidade com que aprende estas quatro habilidades: tolerância à frustração, flexibilidade, habilidades de resolução de problemas e capacidade de levar os outros em consideração.

Aprender a se comportar de maneira conveniente em vez de antissocial não é uma ciência exata. O que motiva uma criança a se comportar bem pode não trazer os mesmos resultados em outra. As crianças são pessoas, não máquinas. Queremos que consigam se conectar e se relacionar, e não que virem robôs. Não sou muito fã de quadros de bom comportamento ou subornos porque giram mais em torno de julgar comportamentos do que se relacionar. Com isso, as crianças não aprendem nem tolerância à frustração, nem flexibilidade, nem habilidades de resolução de problemas nem a pensar e sentir pelos outros. Os quadros de comportamento são manipuladores. São um truque. Se manipularmos as crianças, não podemos reclamar se elas aprenderem a manipular os pais e as outras pessoas. Acredito na ideia de nos relacionarmos com as crianças, não em condicioná-las a querer adesivos de estrelinhas.

Quando nos comportamos bem, raramente é porque queremos uma recompensa ou temos medo da punição, e sim porque ter consideração pelos outros é natural para nós. Porque aprendemos que a colaboração leva a uma vida mais harmoniosa do que a oposição. Não fazemos favores aos outros ou levamos em conta seus sentimentos porque temos medo de um castigo se não fizermos isso; ajudamos as pessoas porque queremos tornar a vida delas mais fácil. Queremos que nossos filhos ajam com consideração e empatia pelos outros, não que sejam motivados apenas pelas ideias mais estreitas de punição e recompensa material. Dito isso, não conheço um único pai ou mãe, incluindo eu mesma, que não tenha recorrido a um suborno em algum momento, mas isso deve ser a exceção, não a regra.

A melhor maneira de fazer seus filhos se interessarem pelas tarefas da casa, por exemplo encher e esvaziar a lava-louças, é deixar que brinquem com o que quiserem quando são bem pequenos (lembre-se: brincadeira é trabalho). Eles vão continuar imitando você quando você cooperar com a brincadeira e vão cooperar com você e, depois daquilo que admito que possa parecer um longo tempo, você vai ter uma pessoa na sua casa que tira as louças da máquina porque quer colaborar, não porque está recebendo um suborno para isso. Algumas pessoas defendem pagar os filhos para fazer tarefas a fim de ensinar, segundo dizem, o valor do dinheiro. No entanto, acredito que, para ensinar a uma criança o valor do dinheiro, precisamos ensinar o valor das pessoas.

As crianças aprendem seu comportamento pela forma como são tratadas. Só aprendem a dizer "por favor" e "obrigado" quando demonstramos gratidão e respeito por elas também. A partir disso, elas podem incorporar esses sentimentos. Se você simplesmente treina seus filhos a dizer essas coisas, eles podem nunca aprender a senti-las. Podemos ficar envergonhados quando alguém dá um presente para os nossos filhos e eles não agradecem, porque queremos que todos os amem tanto quanto nós, e não queremos que eles passem uma imagem negativa de nós como pais. No entanto, devemos deixar nosso narcisismo de lado e, em vez de humilhar nossos filhos obrigando-os a dizer algo que eles podem não sentir, podemos agradecer nós mesmos para que a pessoa não se sinta desvalorizada. As crianças aprendem a gratidão real quando é mostrada para elas. Isso começa com você aceitando aquelas xícaras de chá de faz de conta que elas oferecem por horas a fio. Essas horas não são desperdiçadas. São horas investidas.

SE TODO COMPORTAMENTO É COMUNICAÇÃO, O QUE ESTE OU AQUELE COMPORTAMENTO INCONVENIENTE SIGNIFICA?

Então, como entender o que um comportamento inconveniente dos seus filhos pode significar? Comece pensando em quando você está no seu pior dia. Sei que mostro meu pior lado quando as pessoas ao meu redor não me entendem e não parecem tentar me entender; acho um esforço me comportar bem se preciso da atenção de uma pessoa e ela está me ignorando; me sinto estressada quando uma expectativa, uma esperança ou um plano que tenho é frustrado por coisas fora do meu controle, quando esperam que eu faça algo que considero impossível ou quando estou numa situação que não consigo mais suportar. Quando nossos filhos agem por frustração, é provavelmente por circunstâncias parecidas. Eles podem chorar ou fazer birra ou gritar, espernear, bater, atirar coisas ou até ficar se debatendo tanto que acabem se machucando.

Preste atenção em quando eles agem dessa forma. Quais são os gatilhos? Com que frustrações eles têm mais dificuldade? O estado de humor dos pais é mais uma das causas? Você precisa observar bem porque, se perguntar, a criança pode não saber por que reagiu daquela forma. Ela provavelmente vai dizer algo como "Não é justo" ou até "Não sei".

O problema é que, quando estamos angustiados, esse sentimento é tão predominante que se torna difícil de articular. E, no caso de uma criança muito nova, é ainda mais difícil articular porque ela acha determinadas situações difíceis ou impossíveis de lidar. Às vezes, isso pode se aplicar a nós como pais, além de nossos filhos. Vamos dar uma olhada no exemplo a seguir. É um e-mail que recebi de Gina, que tinha uma filha chamada Aoife no berçário.

> Hoje, fiquei presa no trem por uma hora vindo de Londres, então só consegui chegar à creche para buscar Aoife às 17h40, mais de meia hora atrasada. Quando cheguei, ela parecia bem, brincando tranquilamente com um menininho. Mas, assim que saímos, começou a agir de maneira muito — vou dizer logo de uma vez porque é o que estou pensando — malcriada. Quando pedi a ela que vestisse o casaco, ficou correndo pelo corredor de um lado para o outro gritando "Não, não, não!". Me senti completamente fora de controle, como se ela estivesse me dando voltas. Fiquei muito envergonhada na frente dos outros pais. Para tentar parecer firme, falei que ela não ganharia sobremesa à noite se continuasse... mas é claro que isso não fez diferença.
>
> O filho de ninguém mais na creche age dessa forma. Aoife sempre parece a mais desobediente. Do lado de fora, continuou igual. Não queria subir no carrinho, não queria colocar a touca nem as luvas. Tive de passar na farmácia, onde ela não quis segurar minha mão, depois ficou tirando as coisas das prateleiras. No caixa, começou a gritar e gritar. Tentando colocá-la no carrinho, acabamos quase nos engalfinhando enquanto ela gritava. De novo, me senti fora de

controle e completamente inútil porque minha filha estava me desobedecendo e eu não conseguia controlá-la.

Quando chegamos à esquina da nossa rua, percebi que, depois de passar tanto tempo tentando colocar o casaco em Aoife, eu tinha esquecido minha sacola de compras com o jantar na entrada da creche. Voltei correndo, mas já estava fechada. Eu me senti desesperada. Fiquei muito brava com Aoife, mais do que nunca, porque eu faria papel de besta e me achariam uma péssima mãe na creche.

Quando chegamos em casa e vi meu marido, comecei a chorar. Eu estava literalmente de costas para Aoife, chorando de soluçar. Isso também me deixou péssima, porque quem chora na frente do filho? Por que sou uma mãe tão ruim?

Esta foi a minha resposta:

Que terrível perder a hora por causa de um trem que ficou parado por uma hora inteira. Se fosse eu, também teria ficado muito estressada, frustrada e triste, pensando como seria horrível me atrasar para a saída da creche. Também ficaria preocupada que a creche me acharia negligente por me atrasar tanto. Também ficaria com medo de que minha filha ficasse preocupada. Sabendo como essas coisas me deixam ansiosa, eu estaria no limite, e precisaria que todo o resto corresse perfeitamente, que a rotina fosse restabelecida. Por isso, estaria com tanta pressa para voltar ao normal que não me restariam forças para pensar em como Aoife estaria se sentindo. Eu tentaria fazer com que ela se comportasse também porque não me restaria mais nenhuma gota de energia emocional para diminuir a marcha e entender quais eram os sentimentos de Aoife e me esforçar para tranquilizá-la.

Eu morreria de vergonha se outras pessoas, em vez de presenciar o amor e a cooperação entre nós, vissem minha filha fazendo birra e me vissem parecendo incapaz de fazer algo a respeito daquilo. (Também posso dizer, agora que estou um pouco longe dos tempos de ter criança pequena, que todos passamos por isso.) Eu me sentiria péssima por ter feito uma ameaça. E ainda por cima acabar esquecendo as compras — teria sido demais para aguentar a barra. Eu também teria desatado a chorar assim que encontrasse os braços seguros de alguém que me conhece e me ama.

Agora, vou imaginar como foi para Aoife:

Oi, mãe. Ainda não sei escrever e até minha fala é limitada, mas, se eu pudesse me explicar, é isto que diria:

Ajudaria muito se, em vez de me julgar "malcriada" e me descrever dessa forma, você tentasse entender o que está acontecendo entre nós.

Na creche, eu estava com uma sensação subjacente de mal-estar porque achei que já era para você ter chegado e era para estarmos juntas. Então, quando você chegou, eu estava no meio de um jogo complicado. Você me falou que estávamos saindo naquele minuto mesmo e me mandou colocar o casaco. Eu disse: "Não". Então você insistiu e eu gritei e você não ficou nada feliz. Aquilo não correu bem.

Vamos analisar o motivo por que eu disse "Não". Criei o hábito de dizer isso quando as coisas são rápidas demais para mim e quero que elas desacelerem um pouco. Não estou tentando ser difícil nem manipuladora, é só uma reação automática porque odeio mudanças súbitas que não estou esperando. Você estava tão distraída e apressada que não consegui estabelecer uma conexão com você, e isso me assustou, e, quando fico assustada, também fico brava. Você está sempre pensando no que precisa acontecer no futuro, mas eu vivo no presente e preciso que esteja no presente comigo, caso contrário me sinto sozinha e chateada.

Quando você chegou atrasada, eu precisava que ficasse menos acelerada e explicasse o que aconteceu para não chegar na hora. Depois, precisava que você explicasse o que aconteceria em seguida para que eu pudesse me preparar. Ainda não aprendi a ser flexível, então preciso de mais tempo do que você para mudar de marcha. Colocar meu casaco e parar o que eu estava fazendo era demais para mim. Aposto que, se você estivesse no meio de um trabalho complicado, que é o que a brincadeira significa para mim, ficaria frustrada se fosse interrompida.

O que preciso quando você quer que eu pare de fazer alguma coisa, seja lá o que for, brincar ou correr de um lado para o outro, é de um aviso. Preciso de um aviso específico para cada coisa: parar de brincar, vestir o casaco, subir no carrinho. Preciso de um tempinho para absorver cada coisa também. Me fale qual é o plano quando souber e me dê a chance de absorver e entender. Posso precisar de um aviso de cinco minutos antes de ter de parar de brincar, e ouvir isso pode ser difícil para mim. Depois um aviso de três minutos. Depois um de um minuto. Se eu ainda não gostar da ideia de vestir o casaco quando estiver do lado de dentro, leve meu casaco para fora e me peça para vesti-lo lá. Uma mudança de marcha em particular que odeio é quando preciso parar de correr para subir no carrinho. Minha energia não tem por onde sair, então simplesmente explode em frustração.

Quando você me fala para não dizer "Não" ou para parar de correr ou gritar e diz qual vai ser a consequência, isso não ajuda. O motivo é que ainda não aprendi a olhar para os possíveis resultados futuros do meu comportamento. Essas vias neurais vão se ativar em seu devido tempo. Agora, quando me dá bronca, isso me faz pensar que você não entende, então fico mais assustada e brava e tenho de dizer "Não" ainda mais. Quando me sinto estressada, não consigo ficar parada e quietinha.

Ajudaria se você conseguisse tentar identificar minha dificuldade e a expressasse de uma maneira que fizesse sentido para mim. Por exemplo: "Você está se sentindo frustrada porque não quer parar essa brincadeira divertida". Se colocar minhas frustrações e medos em palavras, vou aprender a usar as palavras também. Assim, vou saber me comunicar melhor e ter menos chances de me descontrolar.

Se você ficar brava ou disser que estou sendo boba, só vou me fechar ou gritar mais. Sei que, quando você está estressada e com pressa, é difícil para você pensar em estabelecer uma relação comigo em vez de simplesmente conseguir que eu faça determinadas coisas ou me comporte de determinada maneira. Mas, quando temos um vaivém em que me sinto reconhecida e vista e amada e compreendida, eu me sinto calma e meus sentimentos não estouram na forma de um comportamento inconveniente.

Na farmácia, se tivesse me dito o que estava pensando e fazendo, eu poderia ter ajudado você. Mas, como só me falou para me comportar, eu imitei você e tirei coisas das prateleiras. Por favor, me inclua nas tarefas, apesar de achar que está sem tempo. Demora muito de qualquer maneira porque você passa esse tempo me dando bronca.

Embora você estivesse chorando, foi amada e abraçada pelo papai. Que bom que ele entendeu que você tinha esquecido as compras. É disso que preciso também. Se você tivesse me dado um abraço na creche quando fiquei chateada por ter de parar a brincadeira, acho que nós duas teríamos nos saído melhor. Mãe, como você sabe que vamos estar juntas para sempre, superficialmente se importa mais com o que os outros possam estar pensando. Eu entendo, mas não ajuda em nada quando você me julga pelos olhos deles. Em breve, mãe, vou conseguir suportar frustrações, ser flexível em relação aos planos, expressar meus sentimentos em palavras em vez de me comportar de maneira inconveniente e aprender a levar seus sentimentos em consideração também, porque vou aprender vendo você fazer isso com os meus.

E não se preocupe em ser uma mãe boa ou má. Você é a melhor mamãe do mundo e nunca, nunquinha, vou querer uma outra.

INVESTIR SEU TEMPO DE FORMA POSITIVA AGORA EM VEZ DE NEGATIVAMENTE DEPOIS

Educar os filhos sempre consome tempo. É melhor dedicar esse tempo de forma positiva prevenindo problemas do que negativamente depois que os problemas já tiverem surgido. Se você agir de maneira acelerada demais para o ritmo da criança, se não verbalizar seus sentimentos para ela, se não lhe der avisos sobre seus planos, se não a incluir em nenhuma tarefa, vai acabar passando o tempo que pensou ter poupado dando bronca nela. Já que investir tempo nos nossos filhos é inevitável, por que não fazer isso de maneira positiva? É uma grande satisfação poder contar que, à medida que Gina aprendeu a desacelerar, a ficar em contato com Aoife se mantendo no presente e a começar a ver as situações do ponto de vista da filha e as expressar em palavras simples para a menina, o comportamento dela se tornou mais conveniente.

Exercício: Como prever dificuldades
Se você quiser mudar uma situação que seus filhos costumam achar difícil, ou você sabe que uma nova situação potencialmente complicada está para chegar, pode ser muito útil parar e se colocar no lugar dos pequenos, e imaginar o que eles diriam se pudessem identificar e articular os próprios sentimentos — e saber o que ajudaria. Tente escrever na forma de uma carta para você do ponto de vista da criança, como fiz. Escrever pode ajudar muito a desvendar a mentalidade da criança — e tornar mais claro como fazer tudo de maneira mais tranquila.

AJUDAR O COMPORTAMENTO EXPRESSANDO SENTIMENTOS EM PALAVRAS

Quando queremos que um filho (ou qualquer outra pessoa) interrompa um comportamento, ajuda se sugerirmos uma maneira alternativa de agir, como acontece neste exemplo:

O filho de quatro anos de John, Junior, acordava toda manhã e, gritando, corria para a cama dos pais e continuava a berrar até que recebesse um abraço.

Certa manhã, John sugeriu para o filho que tentasse uma tática nova para entrar no quarto deles sem gritar. Ele disse para Junior: "Você pode só dizer: 'Bom dia, mãe, e pai, podem me dar um abraço, por favor?'". Junior tentou fazer isso, mas ainda havia lágrimas.

A mãe de Junior perguntou: "Você se sente muito sozinho quando acorda?", e ele fez que sim com a cabeça. Então sugeriram que ele poderia dizer: "Bom dia, mãe e pai. Estou me sentindo muito sozinho e queria um abraço, por favor". Isso mudou tudo. Junior começou a pular na cama deles toda manhã, dizer sua frase nova e ganhar um abraço.

Depois de alguns dias, os pais disseram: "Você não parece estar se sentindo tão sozinho. Mas pode estar feliz e ainda assim ganhar um abraço!". No fim, Junior tinha uma nova frase matinal: "Estou bem e quero um abraço".

A história de John e Junior mostra como expressar os sentimentos em palavras pode mudar tudo. Isso vale para os adultos também.

Pode ser difícil para os pais aceitar os sentimentos dos filhos por trás das lágrimas e dos gritos porque você não quer pensar que a criança está sofrendo. Parece que dar nome ao sofrimento vai agravá-lo, mas, na verdade, costuma produzir uma melhora. Aprender a verbalizar as coisas leva tempo, mas, quando uma criança está triste, é ainda mais difícil encontrar as palavras, então isso cabe a você.

Quando Flo era pequenininha, eu a levava para nadar na piscina do bairro. Um dia, não pude ir, então ela foi com meu marido.

A sessão de natação deles correu bem, até que, na hora de sair, meu marido se virou na direção da escada. Normalmente, entrávamos no local pela escada e saíamos pelo elevador. Então Flo, na época com um ano e dez meses, disse "Não" e se sentou no chão.

Isso foi um comportamento inconveniente, que se encaixa na definição normal de "mau" comportamento, mas Flo não estava se comportando mal, só queria manter a rotina de sempre. Ela ainda não havia aprendido a ser flexível nem a articular direito o que queria. Em vez de dedicar tempo para descobrir o que o "não" significava, meu marido, irritado e com pressa, pegou-a no colo para levá-la pela escada, o que definitivamente não era o que ela queria, e ela começou a berrar. Quando eles chegaram em casa, os dois estavam muito irritados. Depois que escutei a história, olhei nos grandes olhos azuis dela, ainda cheios de lágrimas, e perguntei: "Você estava ansiosa para apertar o botão do elevador, não estava?". Ela assentiu. "E o papai não sabia que era por isso que você queria ir de elevador em vez de usar a escada, sabia?" Ela fez que não com a cabeça.

O que aprendemos com essa experiência é que, se você vai desviar de uma rotina normal e muito apreciada, provavelmente vai precisar dar muitos avisos, explicações e talvez até ensaiar um pouco.

QUANDO AS EXPLICAÇÕES NÃO AJUDAM

Tive sorte em conseguir adivinhar o que havia de errado. Mas, muitas vezes, surgem situações em que não dá para fazer isso. Você pode ter levado seu filho para um passeio que queria que fosse divertido, como ir nadar, mas tudo acabou em lágrimas e parecia impossível descobrir o porquê.

É natural para você procurar algum tipo de certeza sobre o motivo para uma criança estar chorando ou gritando ou se recusando a fazer algo — caso contrário, sente que perdeu o controle da situação —, mas não há o menor problema em não saber e não conseguir saciar essa curiosidade. O motivo a que os pais mais recorrem é "Ah, isso é cansaço", o que pode ou não ser um fator. Mas me lembro de ouvir essa explicação quando era criança, e isso só aumentava minha fúria, porque não era um reflexo real do que eu sentia, e acabei me sentindo incompreendida. A explicação do "cansaço" é muito usada pelos pais, mas acho que sabemos quem realmente está cansado, e não é a criança!

Existem outras interpretações para o comportamento inconveniente dos filhos que podem ser até prejudiciais para eles ouvirem. Se você tiver a mente aberta para reconhecê-las em seu próprio comportamento, já deu um passo em direção à reparação:

"ELES SÓ ESTÃO FAZENDO ISSO PARA CHAMAR ATENÇÃO"

Todo mundo precisa de atenção, qualquer que seja a sua idade. Se uma criança automaticamente recebe atenção suficiente e se sente segura de que vai tê-la de novo quando precisar, não tem por que desenvolver formas mal adaptadas para consegui-la. Se for verdade que seus filhos estão fazendo algo inconveniente para chamar atenção, ensine-os a pedir atenção.

Minha filha tinha o hábito de pedir maçãs mesmo sem vontade. O que ela queria era que eu a olhasse com um sorriso satisfeito. Quando notei que ela quase não comia as maçãs que eu dava, entendi tudo e falei para ela pedir atenção em vez de maçãs. Isso virou uma brincadeira divertida entre nós, e desperdiçava muito menos maçãs. E ela não tinha vergonha de querer o que todos queremos às vezes: atenção.

"ELES ESTÃO SENDO MANIPULADORES"

Crianças pequenas não têm as habilidades para agir de maneira premeditada; estão apenas sendo elas mesmas, e não tentando irritar você. Bebês e crianças são puro sentimento; ainda não aprenderam a observar as próprias emoções, entender o que querem e pedir. Precisam de ajuda com isso.

Quando seus filhos tiverem um acesso de gritos, esperneando e talvez até batendo a cabeça, não estão colocando em prática uma estratégia pré-planejada, estão apenas seguindo seus sentimentos e precisam de ajuda para os articular de forma mais conveniente. Isso vem com o tempo.

Se você sente que uma criança mais velha está tentando manipular você, e a birra dela parece mais uma peça de teatro amador do que um sentimento de verdade, pode dizer como encara esse comportamento e expressar em palavras o que ela pode estar tentando dizer. Por exemplo: "Estou com a impressão de que você está tentando me enganar para não precisar fazer lição de casa. Imagino que fazer isso faz surgir uma sensação de solidão. Vou sentar ao seu lado enquanto você faz, então".

"ELES SABEM COMO ME IRRITAR"

O fato de você considerar desagradável a reação dos seus filhos à frustração não significa que eles façam alguma ideia do impacto que estão tendo ou agindo de forma calculada para provocar essa reação. Minha filha não estava tentando me irritar quando se sentou num degrau no caminho de volta do mercado, embora isso tenha me frustrado por um momento. Também não estava tentando irritar o pai quando se jogou no chão perto da piscina — simplesmente não conhecia as palavras para o que queria. As crianças aprendem a habilidade de usar o vocabulário para descrever como se sentem e o que querem quando nós damos esse exemplo. E pense um pouco: aprender essa habilidade é muito mais complicado do que, por exemplo, saber pedir um biscoito, especialmente quando há emoções fortes envolvidas.

"TEM ALGUMA COISA ERRADA COM ELES"

Algumas crianças demoram mais do que outras para aprender habilidades sociais, algumas têm mais dificuldades em lidar com a frustração, algumas demoram mais para aprender a ser flexíveis e resolver problemas. Isso gera alguns contratempos para elas e para você. A maioria das pessoas acha que se jogar no chão e gritar por usar a escada em vez do elevador é aceitável para uma criança de colo, mas para uma de seis ou sete anos? A expectativa é que essa fase já tenha sido superada. No entanto, algumas crianças precisam de mais ajuda para entender o que estão sentindo e encontrar maneiras adequadas de expressar ou conter os sentimentos. O que ajuda muito é se esses sentimentos forem articulados de maneira correta por alguém que está sempre ao lado delas: você.

Nem sempre é possível desvendar o que está acontecendo, mas ser gentil com elas em vez de castigá-las quando do estiverem angustiadas vai incentivar a cooperação futura e fortalecer sua relação, em vez de prejudicar.

Se você precisa de ajuda ou orientação sobre o comportamento dos seus filhos porque eles parecem presos em um estágio por muito mais tempo do que as crianças da mesma idade, procure um terapeuta familiar ou assistente social. Um médico ou a escola devem ser capazes de indicar a ajuda de que vocês precisam. Isso pode levar a um diagnóstico, o que pode proporcionar um alívio e mostrar como conseguir mais auxílio e apoio.

O lado negativo de um diagnóstico é que parece um julgamento, um estancamento total. Pode fechar uma porta necessária para olhar e aprender a entender os sentimentos por trás de um comportamento. Um diagnóstico pode se tornar uma desculpa para uma maneira de agir. E há o perigo de que, com um rótulo, você possa pensar que as coisas nunca vão melhorar e perder o otimismo.

Ou, pior, uma situação que não precisa ser medicada pode acabar sendo. Vejamos o transtorno do déficit de atenção com hiperatividade (TDAH), por exemplo. Pense no seguinte: mais crianças que nascem em agosto são diagnosticadas com TDAH do que as que nascem em setembro. Acredito que isso mostra que as autoridades tendem a decidir que quem nasceu em agosto tem um transtorno em vez de apenas serem menos maduras do que seus colegas de classe que nasceram quase um ano antes. Isso não significa dizer que todo remédio feito para inibir comportamentos é ruim, apenas que deve ser usado como último recurso.

Se você sente que não consegue lidar com o comportamento da criança, procure ajuda profissional com a maior brevidade possível, porque, quanto mais tivermos hábitos que não ajudem nossa relação com nossos filhos, mais tempo pode demorar para desfazê-los.

ATÉ QUE PONTO OS PAIS DEVEM SER RÍGIDOS?

As três principais estratégias para tentar guiar o comportamento de uma criança tendem a ser: 1. ser rígido; 2. ser permissivo e 3: colaborar.

1. Ser rígido é provavelmente a forma mais comum de encarar a disciplina infantil. Consiste em impor a vontade do adulto sobre a criança. Por exemplo, insistir para que seus filhos arrumem o quarto e castigá-los se não obedecerem. Ninguém gosta muito de ter a vontade de outra pessoa imposta sobre si, e as crianças não são muito diferentes. Algumas podem ser obedientes, mas nem todas. Essa estratégia pode levar a impasses, a um jogo de ganhar e perder, à humilhação e à raiva.

O perigo nesse caso é que você esteja dando o exemplo de "ter razão", "ser inflexível" e demonstrar uma tolerância baixa à frustração. Ao impor sua insistência sobre seus filhos, você pode estar inadvertidamente ensinando-os a querer sempre ter razão e a serem inflexíveis e intolerantes.

Dessa forma, você pode entrar num ciclo de inflexibilidade recíproca — ou, para dizer em outros termos, impasses e disputas de gritos ou uma inibição na comunicação com os pais. Essa não é uma boa estratégia de longo prazo para uma relação sem tensões com seu filho. Isso não equivale a afirmar que você não vá dizer às vezes: "Guarde os brinquedos, agora!", mas esse deve ser um estilo excepcional de comunicação, não o habitual.

Se o autoritarismo é seu comportamento habitual com seus filhos, você está colocando em risco a relação futura deles com a autoridade como um todo. Isso pode impedir que eles consigam cooperar com figuras de autoridades ou liderar, ou você pode estar criando um ditador. Resumindo: impor constantemente sua vontade sobre seus filhos não é a melhor maneira de estimular a moralidade nem a cooperação, tampouco é uma forma boa de ter uma boa relação com eles.

2. Ser permissivo é quando você nunca transmite normas ou expectativas para seus filhos. Normalmente,

quando os pais não impõem nenhum limite para os filhos, é em reação a uma criação avessa a riscos e movida pelo medo ou à sua própria educação autoritária. Algumas crianças podem conseguir estabelecer normas e expectativas para si mesmas, mas nem todas são capazes disso. Uma criança que não sabe o que se espera dela pode se sentir perdida e insegura. Às vezes, quando os pais são tão determinados a não repetir a criação autoritária que tiveram, podem oscilar demais no sentido oposto e não dar nenhum limite para os filhos. Se você parar para pensar, em casos assim, ainda estamos mais reagindo aos nossos próprios pais do que agindo de acordo com a situação que está à nossa frente agora.

No entanto, ser permissivo não é de todo ruim; às vezes pode ser a melhor solução para uma situação. Às vezes, é bom deixar de lado uma expectativa que você tinha para seus filhos, porque eles podem não estar prontos ainda. Por exemplo, seu filho mais velho pode ter considerado fácil arrumar os brinquedos, mas o caçula pode se sentir sobrecarregado com essa tarefa, então, em vez de travar uma batalha, na qual não há vencedores e haverá uma erosão da boa vontade, se uma criança não estiver pronta para o que você quer que ela consiga fazer no futuro, deixe essa expectativa de lado por um tempo. Isso significa não insistir para que os brinquedos sejam guardados. Não é necessariamente ceder, mas decidir adiar a definição de um limite para seus filhos até que eles estejam prontos para isso. A permissividade pode ser uma solução positiva no curto prazo, até que a criança esteja preparada para o método colaborativo.

3. O método colaborativo é quando você e seus filhos juntam esforços para resolver um problema de maneira que

os pais agem mais como conselheiros do que como ditadores. Essa é minha estratégia favorita, pois se baseia em tentar encontrar juntos uma solução para o problema.

Então, o que é o método colaborativo e como ele funciona?

1. Defina o problema a partir do seu ponto de vista. "Preciso que seu quarto esteja arrumado e gostaria que você o arrumasse."

2. Encontre os sentimentos por trás do comportamento. A criança pode precisar de ajuda com isso. Por exemplo: "Você acha injusto ter de arrumar o quarto sendo que foi seu amigo quem fez a bagunça?"; "Você se sente sobrecarregado pela tarefa e acha que vai demorar uma eternidade para terminar?".

3. Valide esses sentimentos. "Entendo que pareça injusto." Ou: "O começo de uma grande tarefa pode parecer assustador".

4. Busquem soluções. "Mesmo assim, preciso que o quarto esteja arrumado. Qual seria o jeito mais fácil de fazer isso?".

5. Siga o plano, repetindo os passos se necessário.

E não julgue seus filhos.

O estágio 2 pode ser complicado, pois pode ser difícil dizer algo que você não acha que deva apoiar, mas, se *não* reconhecer um sentimento que pode achar inconveniente, é mais, e não menos, provável que seus filhos resistam. Como a criança pode não ser capaz de articular tudo que sente, você pode precisar usar uma estratégia de múltipla escolha para descobrir os sentimentos por trás do problema, como no exemplo acima.

Depois que você descobriu o sentimento da criança, consegue redefinir o problema, que não é: "Seu quarto está uma bagunça e é melhor você arrumar, ou eu vou começar a jogar todos os seus brinquedos fora". Isso só faria com que ela se sentisse envergonhada e ameaçada, e criaria ressentimento. Em vez disso, demonstre empatia. Isso exige prática e pode parecer contraditório, mas as crianças aprendem a considerar os sentimentos dos outros tendo os seus levados em conta.

Quando vocês procuram soluções juntos, é importante deixar seus filhos tomarem a iniciativa e não desprezar todas as sugestões deles. Por exemplo, eles podem sugerir: "Podemos deixar o quarto como está". Considere o seguinte: "Sim, podemos fazer isso. Você pode ficar feliz com essa solução, mas assim fica difícil para mim. Não só fico desconfortável, mas eu acharia difícil limpar o quarto ou guardar suas roupas limpas. O que mais poderíamos fazer?". "Não sei." "Tudo bem. Não estamos com pressa. Pensa com calma." É importante não ser a pessoa que parece ter todas as respostas porque, se for, vai tirar a autonomia dos seus filhos. "Posso guardar os brinquedos agora, depois parar e aí você me ajuda com as roupas porque dobrar é difícil para mim." "Tudo bem, parece uma ideia boa. Me chama então quando começar a dobrar as roupas e podemos pensar em maneiras de fazer isso."

Se a sua criação seguiu um método autoritário, você pode pensar que esse é o ideal. Nesse caso, o método colaborativo pode parecer muito cansativo. No entanto, o importante é que, assim como a arrumação do quarto, vocês estejam abertos sobre como se sentem e, dessa forma, cuidem de sua relação e aprendam a ceder e resolver problemas. O verdadeiro trabalho de criar os filhos não é a arrumação, é estar presente ao lado deles e ajudá-los a se desenvolver. O método colaborativo ajuda a desenvolver as habilidades sociais para o comportamento socializado, que são: tolerância à frustração, flexibilidade, habilidades de resolução de problemas e empatia.

MAIS SOBRE BIRRAS

Se você observar qualquer criança fazendo birra, vai ver que ela não está se divertindo. Não está fazendo aquilo porque quer. É improvável que seja uma tática premeditada da parte dela; ela está agindo de acordo com os sentimentos, a frustração, a raiva e a tristeza.

Isso também vale para qualquer comportamento de que você não gosta — pergunte a si mesmo: que sentimentos isso está comunicando? Quais são os sentimentos por trás do comportamento? Depois que você avaliou ou entendeu, reconheça e valide esses sentimentos. Por exemplo: "Você está muito brava porque não deixei você tomar sorvete antes do almoço". E, por fim, depois que a calma tiver sido restaurada, converse com a criança para ajudá-la a encontrar uma maneira mais aceitável de expressar seus sentimentos. "Você pode me dizer que está brava quando eu não deixar você comer o que quiser. Fica mais fácil ouvir quando você não está gritando."

Por exemplo, a birra de uma criança de colo pode ser por frustração. A birra não é uma escolha, apenas uma consequência. No meio de um ataque de raiva, pode até perder de vista o motivo. O sorvete proibido já foi esquecido; só vai restar o sentimento. O que prefiro é não deixar a criança gritando sozinha, e sim continuar dialogando com ela. Mesmo se, quando ela parar para tomar fôlego, for apenas um carinhos "Ah, coitadinha de você", isso vai fazer com que a criança saiba em algum nível que não está sozinha. Ninguém gosta de ser deixado sozinho, mesmo que numa discussão. A exceção pode ser quando você, do ponto de vista dos seus filhos, faz questão de não os entender, e essa é a causa da raiva deles, ou o fato de você não conseguir conter seus próprios sentimentos. No entanto, não gosto da ideia de uma criança passando por nenhum tipo de sofrimento extremo sozinha.

Ajuda nomear o sentimento por trás da birra: "Você está com muita raiva, não está?". Se a criança estiver chateada, precisará de consolo: "Sinto muito que esteja tão triste". Isso não é necessariamente dar o que ela quer, porque isso pode não ser possível ou desejável. Ela pode estar chorando porque não pode voar para a Lua ou nadar com tubarões.

O que você pode fazer é tentar ver a situação do ponto de vista da criança, para consolá-la porque não pode ter o que quer, em vez de castigar ou dar bronca por desejar algo que os pais não querem ou não podem dar. Uma criança vai aprender a conter seus sentimentos se eles forem contidos por outra pessoa, alguém que entenda, que possa manter a calma, que não a constranja por se sentir e agir daquela forma, e para quem seus sentimentos nunca são demais. Esse alguém, claro, é você.

Acho que às vezes os pais têm tanto medo das birras que não estabelecem um limite por temer que isso possa causar uma. Estou me referindo aos pais que vejo carregando um filho num braço e sacolas pesadas e um patinete no outro. Particularmente, eu preferiria consolar uma criança que está tendo um acesso de choro a carregar um patinete o dia todo, mas cada pessoa tem um limite diferente, então talvez eu deva cuidar da minha própria vida.

Nenhuma pessoa se sente melhor quando passa vergonha ou se sente boba. Você pode conter a criança quando estiver tendo uma crise abraçando-a e, às vezes, ficando perto, abaixando-se na altura dela e demonstrando preocupação por seus sentimentos sem se deixar dominar por esses sentimentos. Você pode usar palavras para ajudar a validar como ela se sente ou, talvez, apenas gestos ou olhares de amor.

Às vezes, pode ser necessário tirar a criança de uma situação, por exemplo se houver um risco para si mesma ou para os outros, ou se estiver atrapalhando as outras pessoas. Nesse caso, diga: "Vou ter que pegar você no colo e levar para fora porque não posso deixar que machuque o cachorro/ atrapalhe as pessoas". E então cumpra com o prometido.

O que piora uma birra é se você retaliar gritando em resposta ou pegando seus filhos de maneira agressiva. Isso é praticamente punir a criança por ter sentimentos. Ignorar a birra também é uma forma de retaliação. Pare de empurrar o carrinho com a criança que está chorando, faça barulhinhos compreensivos cara a cara com a pessoinha dentro dele e, talvez, pegue-a no colo.

Isso não é ceder à vontade da criança que está fazendo birra, mas sim demonstrar empatia com sua frustração. O que eu fazia era verbalizar o que estava acontecendo. "Ah, você está brava porque não vou carregar seu patinete para você" (ou qualquer que pareça ser o problema). Mais cedo ou mais tarde, seus filhos vão começar a desenvolver a tolerância à frustração. Consigo me lembrar da alegria que senti quando, depois do que pareceu muito tempo verbalizando o que eu pensava que minha filha estava sentindo toda vez que tinha uma crise ou chegava perto de uma, ela começou a processar os próprios sentimentos em palavras. "Estou ficando brava", ela dizia, e eu ficava maravilhada com o quanto havíamos progredido.

Se você chegar ao seu limite por causa da birra dos seus filhos, lembre-se de refletir em vez de reagir. E lembre-se de não levar a birra para o lado pessoal. Respire, e mantenha o contato com seus sentimentos e os da criança.

À medida que você observa seus filhos e presta atenção nos humores deles, e que verbaliza para descobrir o que estão comunicando, vai começar a aprender os gatilhos que os fazem perder o controle de seus sentimentos e seu comportamento e conseguir evitar uma birra antes que ela comece. Muitos pais sabem quando é hora de um filho se afastar de um grupo de crianças, por exemplo, para passar um tempo mais à vontade com um dos pais. Ou quando não aguenta mais ficar preso no carrinho e precisa de liberdade para correr por aí. Ou quando é hora de comer antes que a fome tome conta.

Se as birras continuarem com frequência mesmo depois do estágio de criança de colo, ou se você entra em discussões, impasses e chiliques com seus filhos, esta é uma boa hora para pensar no que pode estar havendo de errado e o que pode ser feito de diferente.

Nenhuma criança vive em crise permanente, então sua primeira tarefa é tomar nota de onde, quando, com quem, sobre o que e por que acontecem os problemas para descobrir quais são os gatilhos.

Se os gatilhos forem coisas como hiperestimulação ou excesso de barulho, você pode tomar medidas para evitar ou limitar essas situações. Podem ser as transições — por exemplo, quando você pede à criança que pare de brincar e venha à mesa. Ou o problema pode surgir quando você está mais impaciente. Com muita frequência, colocamos expectativas altas demais na criança. Não estou dizendo que não devemos ter altas expectativas para os nossos filhos, mas, se as impusermos antes de eles estarem prontos, só vamos causar frustração para eles e para nós mesmos. Cada um se desenvolve em uma velocidade diferente.

O trabalho seguinte, depois que você identificou os gatilhos, é analisar seu papel na crise, ou de outro adulto se acontecer longe de você, como na escola, por exemplo. Você está sendo inflexível? Muitas vezes, quando uma criança se comunica conosco usando o comportamento — porque ainda não aprendeu a articular seus sentimentos —, em vez de considerar o significado daquele ato, cometemos o erro de achar que devemos ser mais rígidos. Isso pode até "funcionar" com algumas crianças. E é bom definir limites antes de perder a paciência e manter um certo nível de coerência e respeito, mas às vezes podemos ir longe demais e nos tornar inflexíveis. Isso, por sua vez, pode dar um exemplo de teimosia para nossos filhos ou simplesmente frustrá-los ainda mais e faz com que a situação se agrave. Por exemplo, se a criança não estiver atingindo os resultados esperados na escola, pode parecer natural para os professores e outros adultos pensar que precisa passar mais tempo na tarefa designada e ficar sem recreio. Mas, se você observar essa criança, pode ver que ela está inquieta, achando difícil ficar parada, não consegue se concentrar. Obrigá-la a ficar sentada por mais tempo a deixa pior, não melhor. É raro uma criança de seis anos que se conheça tão bem a ponto de dizer: "Estou com um excesso de energia. Preciso correr um pouco lá fora para ficar mais fácil ficar parada". Você vai precisar observá-la para que isso funcione.

Na Eagle Mountain Elementary School, em Fort Worth, no Texas, os professores experimentaram estender o recreio das crianças para uma hora — mais do que o dobro do que era antes. Segundo os educadores, assim as crianças estão aprendendo mais. Eles notaram que os alunos agora seguem melhor as instruções, tentam aprender com mais independência e mostram mais iniciativa para resolver problemas sozinhas. Houve até uma redução nos problemas disciplinares. Os pais afirmaram que seus filhos estão mais criativos em casa e mais sociáveis. Esse é apenas um exemplo para mostrar que reprimir as crianças quase nunca é a solução, ao passo que se abrir para elas, ver suas necessidades e seus desejos da perspectiva dela, costuma ser.

Argumentar — jogar "tênis de fatos" — dificilmente vai ser uma maneira de fazer uma criança cooperar ou parar de chorar. Crianças muito pequenas não conseguem absorver argumentos. Sentir o que elas sentem, por outro lado, costuma funcionar. Os pais quase nunca olham para si mesmos quando estão irritados com os filhos. Na cabeça deles, a criança só está sendo irritante e "se comportando mal". Mas toda situação entre você e seus filhos acontece em uma relação mútua com eles, é criada em conjunto. E, quando pensamos nesses termos, temos nossa responsabilidade em relação à maneira como eles se comportam. É mais fácil ver o papel que estamos representando quando deixamos de precisar ter razão, de ganhar ou perder, e pensamos mais em dar o exemplo de cooperação e colaboração.

CHORAMINGOS

Os comportamentos que mais aborrecem os pais são quando a criança resmunga, choraminga, fica grudenta e lacrimosa. Não é o choro de quando as crianças levam um tombo, mas aquele choramingo queixoso que elas fazem quando os pais não conseguem encontrar um motivo para a tristeza dos filhos — ou ainda estejam tristes depois que os pais desenvolveram esforços heroicos para distraí-los ou animá-los. Você pode simplesmente querer que seus filhos parem; pode ver isso como um "mau" comportamento. Mas será que a irritação com esse choramingo tem a ver com não poder se expressar quando você sentia tristeza e desamparo na infância? O motivo da irritação com a criança pode ser não querer relembrar essa dor e voltar a viver aqueles sentimentos antigos de vulnerabilidade e fragilidade. Então, ao contrário, você tenta silenciar seus filhos.

Além disso, ou em vez disso, você pode ver os resmungos ou choros dos seus filhos como uma crítica a sua forma de cuidar e educar. Talvez você tenha uma expectativa tácita de que as crianças deveriam estar felizes o tempo todo. Asim, o que para a criança não passa de tristeza ou solidão, você vê como um lembrete de algo pelo qual seus filhos estão passando naquele momento.

Bella tem 45 anos e é executiva de uma grande empresa. É casada com Steve, um chef e dono de restaurante, e eles têm três meninos: um de oito, um de doze e um de catorze anos. São uma família alegre com muitas atividades e ocasiões para socialização nos fins de semana. A atmosfera em casa é movimentada e bem-humorada. Bella e Steve têm trabalhos que exigem muito de seu tempo, e Juanita passa a semana com eles como babá e empregada doméstica. Está com a família desde que o filho mais velho tinha cinco anos.

Bella acha que seu caçula, Felix, tem um problema. "Felix é apegado demais", ela me contou. "Mesmo com oito anos, precisa de mais atenção, dia e noite, do que os dois mais velhos precisavam quando tinham a idade dele. Fico me perguntando se não consegui criar um bom laço com ele quando era bebê, mas acho que criei, sim. De verdade, não sei por que Felix parece tão inseguro."

Fiquei interessada no motivo para a baixa tolerância de Bella ao jeito grudento de Felix e no que poderia estar travado na relação dos dois. Falei para Bella perguntar a Felix sobre seus sonhos. Não esperava conseguir nenhuma resposta a respeito dos sonhos dele, mas achei que era uma maneira de Felix falar e Bella ouvir.

Bella me disse: "Felix disse que teve um sonho terrível em que estava completamente sozinho e não conseguia encontrar ninguém. Perguntei se ele já tinha sentido isso na vida real, confiante de que a resposta seria não. Fiquei surpresa quando ele disse que tinha. 'Lembro de quando a gente estava visitando seu irmão em Gales e você me deixou sozinho no carro.'

"Quando ele me disse isso, eu também lembrei. Meu irmão mora no meio do nada e, uma vez, quando Felix tinha quase dois anos, estava dormindo quando chegamos, então levei os outros meninos para dentro e tirei as coisas do carro e guardei as compras, depois voltei para ver como ele estava. Ele tinha acordado e estava chorando.

"Eu fiquei arrasada por ele se lembrar disso. Pedi desculpas e disse: 'Você não deve ter ficado mais do que cinco minutos no carro, querido' e nos abraçamos. Comecei a me perguntar como um incidente tão pequeno de seis anos atrás ainda poderia atormentá-lo agora."

O incidente poderia ter sido pequeno para Bella, mas provavelmente não fora para Felix. Perguntei para Bella se Felix já tinha sido deixado em um lugar desconhecido, antes ou depois disso. Ela disse: "Não, mas, quando ele era pequeno, com um ano e oito meses, teve uma faringite tão forte que precisou ficar internado. Os antibióticos não surtiram efeito e, por uma semana, ele foi colocado em coma induzido em um aparelho para conseguir respirar. Enquanto estava em coma, ele ficou sozinho algumas vezes, mas, depois que acordou, eu ou Steve estávamos sempre com ele.

"Bella", eu disse, "que terrível para você que seu filho tenha ficado tão doente que precisou ficar em coma induzido." Ela respondeu: "Ah, tudo bem — quer dizer, não foi lá muito agradável, mas a gente passa por essas coisas".

Quando Bella falou isso, eu me senti repelida, porque minha preocupação era indesejada. E, naquele momento, tive a impressão de que ela estava — até hoje — repelindo seus próprios sentimentos sobre a doença de Felix. Fiquei chocada e comovida, imaginando como deve ter sido para o menininho ficar tão doente e como deve ter sido para seus pais. Bela disse: "Steve diz que poderíamos tê-lo perdido, mas eu não conseguia pensar nisso". Senti outra onda de tristeza e falei isso para ela. Quando a encarei, notei que ela também tinha lágrimas nos olhos.

Eu disse: "Deve ser por isso que Felix é tão apegado — porque teve de se apegar à vida. Embora pudesse não saber conscientemente quando estava em coma, é possível que ele soubesse em outro nível, o que talvez explique o sonho de estar sozinho".

Fosse esse o motivo ou não, fez sentido para Bella, e a ajudou a entender o comportamento de Felix. E, por consequência, isso tornou mais fácil para ela sentir empatia em relação ao filho.

Outra coisa que pode ter acontecido é que Bella enfim deixou que viessem à tona o medo e a tristeza sobre perder Felix que havia reprimido por tanto tempo. É completamente normal querer esconder nossos sentimentos difíceis, mas com isso corremos o risco de nos tornar insensíveis aos sentimentos difíceis dos outros, inclusive de nossos filhos. Todo o tempo em que Bella estava reprimindo os sentimentos sobre a doença de Felix, os sentimentos de Felix a irritaram.

Quando Bella finalmente admitiu como foi ter quase perdido Felix, isso não a deixou no chão, como ela temia. "Antes, eu sempre pensei que era culpa de Felix ser tão apegado. Eu pensava: se os irmãos dele estavam bem, por que ele não estaria? Percebo agora que não podemos culpar ninguém por seus sentimentos."

Depois que conversamos, foi Bella quem teve um sonho — na verdade, um pesadelo. Ela sonhou que duas de suas sobrinhas e Felix foram nadar no mar e começaram a se afogar. As meninas foram salvas, mas Felix se foi. Bella acordou assustada, chorando e perturbada, e foi dar uma olhada em Felix, que estava dormindo tranquilamente. A ironia disso a surpreendeu — normalmente era Felix quem entrava no quarto dos pais.

Hoje em dia, quando se sente irritada com Felix, Bella assume a responsabilidade por esse sentimento. Ela não sabe se isso é porque Felix anda menos pegajoso, se passou a encarar esse apego com mais naturalidade, ou se está dando mais atenção para ele, ou ainda as três opções.

Existem inúmeros motivos para o excesso de apego e o choramingo, e dependem da criança e da sua relação com cada um de seus responsáveis. Não apresentei o estudo de caso anterior porque o fato de uma criança quase morrer seja uma razão comum para o excesso de apego. Foi porque a recusa a ser sensível aos sentimentos que nossos filhos desencadeiam em nós faz com que nossas relações com eles travem, nos impede de ter a proximidade que gostaríamos e, assim, reduz a capacidade deles de serem felizes.

Reconhecer e validar sentimentos — tanto os nossos como os de nossos filhos — não só é importante para nossa saúde mental e para a deles como também é uma forma de entender nossos gatilhos e os de nossos filhos, e de adquirir um conhecimento mais profundo do motivo por que todos nos comportamos cada qual da sua forma.

Todos os sentimentos — apego, fantasmas no armário, monstros embaixo da cama, tristeza ou uma frustração esmagadora — fazem sentido quando encontramos seu contexto. Se o contexto não for óbvio, isso não quer dizer que não haja um. O primeiro passo é aceitar o sentimento dos seus filhos, o que vai ajudar a entender o comportamento deles. Depois que isso acontecer, você vai conseguir tolerar esse comportamento e estar em uma posição melhor para colaborar com seus filhos a fim de encontrar soluções para promover mudanças úteis.

AS MENTIRAS DOS PAIS

Às vezes, as famílias têm segredos que, na prática, são mentiras. Você pode nem se sentir dessa forma; pode pensar que está apenas suprimindo informações de que a criança não precisa ou que podem ser até prejudiciais.

Mas, quando uma família esconde informações ou existem mentiras dentro do círculo mais íntimo, mesmo se seus membros não souberem a verdade da situação, isso pode ter um impacto. No fundo, nós conseguimos sentir se algo não é verdadeiro e aberto.

Se você está contando mentiras — ou omitindo informações — para proteger as crianças de alguma realidade, o que está fazendo é enfraquecer os instintos delas. Está dizendo a elas algo diferente do que estão sentindo. Isso não será agradável para elas e, se não conseguirem articular esse desconforto, é provável que venha à tona na forma de comportamentos inconvenientes.

O seguinte estudo de caso foi usado na minha formação como psicoterapeuta para me ensinar sobre esse fenômeno.

    O sr. e a sra. X foram a um psicoterapeuta, o dr. F, para falar sobre o filho deles, A, que era um adolescente. O comportamento de A, segundo os pais, estava fora de controle. Ele estava matando aulas, usando drogas e álcool, ficava rabugento e taciturno e andava roubando dinheiro da bolsa da mãe. O que eles queriam do terapeuta era um conselho sobre como fazer com que o garoto andasse na linha.

    O dr. F explicou para eles que, quando um filho chega à adolescência, sente a necessidade de se distanciar dos pais, de formar ou entrar para uma nova tribo. Quando ele sente que estabeleceu uma identidade separada dos pais, não precisa se afastar tanto, e as coisas se acalmam. O casal X insistiu que o comportamento de seu filho ia além disso.

    O dr. F pediu um histórico da infância de A. Os X apresentaram uma descrição de A como um garotinho normal e feliz que pareceu forçada, vazia e sem muitos detalhes. Os X se entreolharam, como se estivessem trocando algum segredo. O dr. F notou. Ele disse: "O que vocês não estão me contando?". Os X ficaram em silêncio e se entreolharam de novo.

    "Vocês dois sempre se deram bem?", o dr. F arriscou.

    "Nós não estávamos juntos no começo", o sr. X disse por

fim. Sua esposa olhou feio para ele. "Vocês se separaram quando ele era pequeno?" Então a verdade veio à tona. O sr. X não era o pai de A, mas A pensava que sim. O verdadeiro pai de A, segundo a sra. X, "não prestava". Era mulherengo, alcoólatra e, quando A tinha um ano e meio, morreu em um acidente de carro causado por dirigir embriagado.

"A não se lembraria dele. Ele quase nunca estava lá mesmo", disse a sra. X.

"Ele pode não se lembrar conscientemente, mas, em algum nível, pode ter sentido a presença dele e, depois, a ausência", o dr. F sugeriu.

"Nosso medo é que esse tipo de comportamento esteja nos genes dele", disse a sra. X. O comportamento, explicou o dr. F, é uma forma de comunicação; tem significado. "Então, o que o comportamento de A está dizendo a vocês?"

"Está dizendo para a gente se foder", respondeu o sr. X.

"Vocês contaram uma mentira para A, uma mentira enorme. Ele não sabe qual é, mas deve sentir que alguma coisa não se encaixa e isso o perturba", disse o dr. F.

"Nós não mentimos, só não contamos para ele", justificaram os X.

"Mentira por omissão", definiu o dr. F.

"Então, o que a gente deve fazer?", perguntaram os X.

"Não vou dizer a vocês o que fazer. Mas estou achando que isso pode ser parte do problema."

Os X decidiram contar ao filho. Ele ficou furioso. Descobriu que seu pai biológico tinha um irmão. Foi conhecer o tio, começou a se esforçar mais, melhorou na escola e entrou na universidade.

Seus pais realizaram seu desejo de que seu filho se comportasse. Bastou que reparassem a ruptura. Isso significou entender a raiva de seu filho, assumindo terem preferido a imagem de uma família perfeita a contar a verdade, reconhecendo o impacto que isso havia tido sobre o garoto, pedindo desculpas e aceitando os sentimentos dele a respeito da história. Nunca descobri se isso aconteceu, pois a história acaba aqui.

Com muita frequência, quando fingimos que alguma coisa não está acontecendo ou não aconteceu, mentimos por omissão para nossos filhos. É natural querer protegê-los de sentimentos difíceis, mas o problema não são os sentimentos deles, e sim nosso temor de que virem um problema. Portanto, acredito que seria melhor se eles fossem informados, por exemplo, que os pais estão enfrentando dificuldades, trabalhando para resolvê-las e torcendo que isso aconteça, em vez de manter em segredo questões que afetam o mundo dos seus filhos. Se eles ficarem preocupados, você pode tranquilizá-los. Se não contarmos uma notícia muito ruim de uma forma que a criança consiga lidar, ela vai notar a atmosfera de qualquer maneira e pode encontrar explicações ainda piores.

Não acredito que se deva mentir para as crianças, nem mesmo por omissão, portanto sou contra esconder más notícias, como a morte de alguém importante na família. Mas a notícia precisa ser dada explicando que, embora nós estejamos nos sentindo tristíssimos agora e nunca vamos esquecer a pessoa, vamos nos acostumar com a perda e a vida vai seguir em frente e voltar a melhorar. Da mesma forma, se um dos pais que até então vivia na casa for embora, isso precisa ser discutido antes de acontecer, e as crianças precisam saber os planos e a rotina proposta de como seu mundo vai continuar existindo — ou seja, ainda ver os pais com uma frequência e uma regularidade previsível.

Provavelmente existe uma forma apropriada à idade de comunicar qualquer coisa. Por exemplo, você pode dizer: "Estou doente, vou ao médico e, com um pouco de sorte, vou melhorar. Desculpa se pareço distante. É a preocupação com a minha doença". Isso é melhor do que guardar segredo sobre seu câncer. Caso a criança seja adotada, é melhor contar a ela de uma maneira apropriada à idade desde o começo, para que nunca sofra o choque de descobrir por si só.

Não temos como proteger as crianças de perdas e calamidades inevitáveis que a vida lança contra nós e contra elas, mas podemos estar ao seu lado e compartilhar e ajudar a conter seus sentimentos quando, inevitavelmente, as tragédias acontecerem.

Todas as crianças precisam da confirmação de que são importantes, de que são queridas e amadas, não apenas com palavras ocasionais, mas com demonstrações de amor — com a maneira como seu rosto se ilumina quando as vê, no dar e receber de suas interações, na inclusão delas em sua vida e no prazer de aproveitar a sua companhia e de gostar de estar com elas. É difícil fazer isso plenamente se você estiver escondendo alguma informação que as afete. Elas têm o direito de saber.

AS MENTIRAS DOS FILHOS

Em uma reunião de boas-vindas na escola de ensino médio da minha filha, a diretora, Margaret Connel, falou sem rodeios para os pais: "Seus filhos vão mentir para você". Eu pensei: "Ah, minha filha não vai, temos uma relação ótima". Ela continuou: "Mesmo se você pensa que sua filha conta tudo para você, ela vai mentir quando estiver na adolescência, e o papel de vocês é não dar tanta importância a isso".

Quando perguntei a Margaret sobre isso anos depois, ela me disse: "Todo mundo mente. De todas as coisas ruins que fazemos, mentir é a mais comum e aquela em que menos pensamos. Mas, por algum motivo, os pais parecem colocar esse pecado acima de todos. Se a criança fez algo que não deveria, talvez algo relativamente trivial, e disser que não, os pais dizem: 'Eu conheço minha filha, ela tem seus defeitos, mas mentir sei que não mentiria'. E o problema é que isso encurrala a criança e significa que, qualquer que seja o problema, nunca se chega à sua raiz".

Todas as crianças mentem; todos os adultos mentem também. É ótimo quando não mentimos porque isso nos dá a chance de estabelecer um diálogo de verdade e uma intimidade real. Mas todos fazemos isso e não deveríamos tratar nossos filhos como grandes pecadores quando fazem isso também.

Afinal, damos muitas mensagens contraditórias aos nossos filhos sobre mentiras e quando são aceitáveis em nossa cultura. Falamos para não mentirem, mas também dizemos para agradecerem o cachecol feio que a vovó tricotou para eles no Natal pelo terceiro ano seguido. Se pararmos para pensar, as crianças precisam aprender uma lição complicada sobre quando é apropriado mentir.

Os filhos veem os pais contar mentiras o tempo todo. Ouvem, por exemplo, a mãe pedir ao marido que fale aos colegas que ela não pode ir à festa do trabalho dele, sendo que a resposta correta é que ela não quer ir. Não existem motivos para seus filhos acreditarem que os pais nunca mentiriam para eles se os veem se comportando dessa forma, revelando-se capazes de persuadir outras pessoas de que a verdade é diferente do que é.

Se você pensar sobre mentiras, é algo notável para uma criança fazer. Primeiro, ela tem de conceber uma realidade alternativa e dizer: "Isso aconteceu". Depois, precisa manter isso em mente junto com o que de fato ocorrer. Além disso, deve distinguir entre as duas para mentir direito e então — e esta é a parte mais inteligente — precisa levar em consideração o que o outro está pensando e o que pode saber.

Uma criança de colo pode praticar algum comportamento desonesto, como dar para o cachorro alguma comida que não quer, mas só começa a mentir dessa forma como descrevi por volta dos quatro anos. A partir daí, sente que ganhou um novo superpoder. "Uau, posso inventar coisas e as pessoas vão acreditar em mim! Isso é incrível!"

Com muita frequência, as crianças mentem porque os adultos em sua vida julgariam mal e se irritariam com a verdade. Algumas são mentiras para não se meter em encrencas, outras mentiras de faz de conta ou para agradar os adultos ou fazer os outros se sentirem bem.

Às vezes as crianças contam uma mentira para revelar uma verdade emocional. Quando perguntam o que há de errado e elas não sabem explicar, inventam uma narrativa que corresponda a seus sentimentos.

Um dia na creche, quando Flo tinha três anos, ela não parecia animada como de costume. A professora perguntou a ela se havia algum problema. Ela respondeu: "Meu peixinho dourado morreu". Na hora da saída, a professora comentou essa conversa comigo, e eu disse: "Hã, nós nunca tivemos um peixinho".

Ao pensar nisso, me dei conta de que ela estava contando uma verdade de outra forma. Uma tia minha muito querida havia falecido, e eu naturalmente estava triste com isso. Flo deve ter me visto chorar; posso não ter me interessado tanto por aquilo em que ela estava concentrada; talvez eu não tenha ouvido quando ela falou comigo; e, de modo geral, embora estivesse por perto, eu não estava tão presente e disponível para ela. Talvez ela tenha equiparado a falta que sentia do meu comportamento normal ao valor de um peixinho dourado? Ou, o que é mais provável, Flo conseguia conceber e lidar com a morte de um peixinho dourado, mas essa coisa enorme e terrível que era o meu luto precisava ser reduzida ao valor de um bichinho de estimação para que ela soubesse como lidar com a situação. Falei para a professora o que pensei que realmente havia acontecido.

Pode ser mais fácil para uma criança se agarrar a uma fantasia do que enfrentar a verdade, e precisamos respeitar isso. Quanto mais colocamos os nossos sentimentos e os dos nossos filhos em palavras, menos eles terão de mentir para transmitir sua verdade emocional. Isso exige anos de aprendizado.

Às vezes, a mentira de fantasia é uma forma que a criança encontra de se reconfortar e devemos, assim como em todo comportamento anômalo, observar com atenção para entender os sentimentos por trás daquilo, em vez de condená-la por mentir. Se ela não conseguir absorver a enormidade de um acontecimento, como a minha filha no caso da morte da minha tia, a criança vai decompor isso na forma de um peixinho dourado ou algo equivalente.

E há ainda outros motivos por que seus filhos vão mentir quando ficarem mais velhos. Assim como você pode ter previsto, as sábias palavras da srta. Connel se concretizaram, e Flo mentiu para mim aos quinze anos. Quando descobri, me lembrei das palavras da diretora e não tratei isso como se fosse a maior tragédia da minha vida.

Em vez disso, ouvi a explicação da minha filha. Ela e uma amiga contaram aos pais que estavam estudando uma na casa da outra, mas, na verdade, foram ao bar do departamento estudantil de uma universidade da região.

Realmente escutei quando ela disse que precisou mentir porque eu nunca a deixaria ir! Era a verdade, respondi, eu não teria deixado — porque era ilegal; além de as duas não terem idade para beber, era um bar privativo, no qual elas não tinham o direito de entrar.

Mas, continuei, o verdadeiro motivo por que eu não teria deixado que ela fosse era medo. Eu me sentia assim porque, quando tinha quinze anos, tive aventuras parecidas e não contei aos meus pais a respeito. E nas minhas escapadas eu me coloquei em perigo e somente por sorte consegui me safar.

Expliquei que não estava pronta para deixar que ela corresse o perigo em que eu havia me colocado na sua idade, bebendo demais e tentando impressionar pessoas mais velhas que julgava serem mais sofisticadas do que eu e perdendo a cabeça. Falei que ela teria de esperar até que eu me sentisse confiante a ponto de permitir coisas desse tipo, e disse que entenderia caso se sentisse frustrada com isso. E, no ano seguinte, realmente me senti mais confiante a ponto de lhe dar mais liberdade. Quando Flo tinha dezesseis anos, deixei que ela acampasse em um festival de música pop com um grupo de amigas da sua idade, e nada de ruim aconteceu a nenhuma delas. Revelei meus medos nas conversas que tivemos antes que ela fosse: o que você vai fazer se a bateria do seu celular acabar e você tiver se perdido das amigas? Como saber se uma droga que oferecerem para você é perigosa? (Uma pergunta que embutia uma pegadinha muito esperta da minha parte.) Suas respostas foram bastante sensatas.

Agora que Flo é adulta, pode se divertir me assustando com algumas das coisas que deixou de mencionar na época. Aparentemente, às três da madrugada, a barraca delas era a única em que não estava acontecendo nada, então ela e uma amiga saíram, caminharam por quilômetros até a estação de trem e dormiram lá. Uma aventura maravilhosa para duas adolescentes. Flo achou melhor não me contar na época porque gostou de guardar esse segredo.

É melhor se você não reagir de maneira exagerada ao que seus filhos fazem e contam, pois não dramatizar torna mais provável que vocês mantenham as vias de comunicação abertas. Talvez eu tenha errado ao reagir de maneira exagerada com meus medos, me desviando demais do ideal de contenção, e por isso ela só me considerou preparada para ouvir essa história anos depois.

Ao criar um adolescente, lembre-se como foi ser um, sofrendo com as restrições que seus pais impunham para tentar impedir que os medos deles se concretizassem. Os adolescentes precisam guardar segredo sobre algumas coisas, como a história relativamente inofensiva da minha filha. Precisam dessa privacidade para desenvolver sua própria identidade. Os adolescentes também podem mentir, ou omitir, para criar um espaço para eles. Não que estejam necessariamente tramando algo terrível; só querem guardar alguma coisa para si ou para seu grupo de amigos porque estão se distanciando da tribo da família e dos pais e formando sua tribo nova.

O seu objetivo deve ser manter essas vias de comunicação abertas desde a primeira infância até a fase adulta. É importante que a criança sinta que pode contar a verdade, que todos os sentimentos dela serão aceitos, mesmo se — ou especialmente se — você considerar esses sentimentos e atitudes inconvenientes. Se você não for uma pessoa com quem ela se sinta segura em conversar, a quem vai poder recorrer quando, por exemplo, sofrer bullying na escola ou se sentir assustada com as insinuações sexuais do professor de judô? Você precisa aceitar os sentimentos de uma criança, sem dramatizar o que é mostrado e contado, sem julgar e ajudando-a a encontrar possíveis soluções aos problemas em vez de dizer imediatamente o que ela deveria fazer. Estamos no mundo há mais tempo do que nossos filhos e, às vezes, quando eles nos contam algo, é tentador dizer o que deveriam fazer, mas, se possível, precisamos nos segurar, para poder estimular a confiança deles em vez de tirar sua autonomia. Se você agir mais como uma caixa de ressonância do que como um oráculo, é mais provável que eles continuem contando a verdade.

Se uma criança mente — ou pratica algum outro comportamento que você gostaria de mudar —, em vez de reagir, observe os motivos e sentimentos por trás da mentira ou do comportamento. Se você entender e validar esses sentimentos, vai dar uma chance para ela encontrar formas mais aceitáveis de se expressar e lidar com suas necessidades.

Margaret Connel me contou uma história sobre uma das alunas dela. "Uma época tive uma aluna que, sempre que acontecia algum desastre no mundo, dizia ter alguma relação com a coisa. Quer fosse um terremoto ou um acidente de trem, tinha um primo de segundo grau ou um meio irmão ou um amigo da sua família no meio. Depois de um tempo, me dei conta de que isso era meio improvável, e que ela era motivada a mentir para chamar atenção e receber empatia, provavelmente porque não conseguia ou não deixavam que ela fizesse isso de maneira direta. Por isso, inventava esses cenários improváveis com base no noticiário do dia."

Para chegar à raiz do problema, é importante ir além das mentiras e descobrir o que está faltando na vida dessa criança, ou o que está acontecendo ou aconteceu com ela para que precise de tanta empatia e atenção. E também o que está acontecendo para que tenha de dar tantas voltas para conseguir isso.

Você pode pensar: "Sim, mas mentir é errado de qualquer maneira". No entanto, uma visão rígida e moralista sobre mentiras não torna uma criança mais sincera. Na realidade, pesquisas mostram que isso só torna suas mentiras mais sofisticadas.

A pesquisadora Victoria Talwar visitou duas escolas na África Ocidental com alunos de perfis parecidos, mas regimes disciplinares muito diferentes. Uma era mais ou menos equivalente a uma escola ocidental típica: se você fez alguma coisa errada, como mentir ou não fazer seu trabalho direito, recebe orientação sobre como agir da próxima vez em uma conversa em particular com o professor e talvez um castigo no fim da aula. A outra escola era mais punitiva: as crianças eram levadas para fora e levavam uma surra por mau comportamento.

Talwar estava interessada em ver qual regime seria melhor para educar uma criança sincera, então fez um experimento chamado de jogo de espiar. Ela chamava uma criança para a sala e dizia: "Você vai se sentar ali, olhando para a parede. Vou trazer três objetos e ficar atrás de você. Você tem de adivinhar qual é o objeto pelo barulho que ele faz". No terceiro objeto, ela fazia uma pegadinha e tocava um barulho completamente diferente, como o de um cartão de aniversário musical quando o objeto era uma bola de futebol.

Antes de perguntar a resposta da criança, ela dizia: "Vou precisar dar uma saidinha rápida. Não olha para trás!". Quando voltava, ela dizia: "Você não espiou, espiou?". As crianças sempre respondiam: "Não". Depois ela perguntava: "Qual era o terceiro objeto?". Quase todas as crianças diziam: "É uma bola de futebol". Porque elas tinham espiado. Quase todas tinham.

Talwar então perguntava: "Como você sabe disso? Você espiou?". E, nesse momento, ela conseguia medir o quanto e com que eficiência as crianças mentiam. Na escola com o regime não tão rígido, algumas crianças mentiam, outras não, mais ou menos na mesma proporção que ela havia encontrado quando fez o teste em outros países. Mas os alunos na escola com o regime punitivo eram todos rapidíssimos em inventar mentiras, e todos eram muito convincentes. Portanto, involuntariamente, ao castigar de forma severa a mentira, a escola havia se tornado uma máquina eficientíssima de produzir mentirosos — algo que a diretora da minha filha, Margaret Connell, sabia desde o começo.

Quando seus filhos mentirem — e eu digo "quando", e não "se" —, lembre-se de todos os motivos para mentir. É um estágio de desenvolvimento, ele está imitando você, está criando seu próprio espaço particular, está mentindo para comunicar um sentimento, para evitar a punição ou para não ficar triste. Se a mentira for um problema, é melhor resolvê-lo e descobrir o que está por trás da mentira em vez de agir de maneira punitiva. Isso só vai transformar o seu filho em um mentiroso melhor.

Quanto mais julgar e castigar, mais vai impedir seus filhos de se abrirem com você. Eles ainda vão querer agradar, ter sua aprovação, mas vão fazer isso deixando a honestidade de lado, afastando-se da sua verdadeira identidade, talvez à custa da sua saúde mental. Um regime draconiano não produz bons cidadãos em termos de moralidade. Tampouco tende a promover uma relação mutuamente gratificante com você, o que, por sua vez, pode prejudicar a capacidade deles de formar relações sustentáveis e satisfatórias na vida.

Lembre-se das palavras de Margaret Connell: "Seus filhos vão mentir e seu papel é não dar tanta importância a isso".

LIMITES: DEFINA A SUA PERSPECTIVA, NÃO A DOS SEUS FILHOS

As crianças — assim como todos nós — precisam de amor e limites, não um ou outro.

Limites são importantes para qualquer relação. Um limite é uma linha metafórica que você não permite que a outra pessoa ultrapasse. Além dessa linha está o fim da sua paciência e, caso alguém a atravesse, você perde a calma e não consegue mais lidar com a sua frustração.

Por isso que é bom definir um limite antes do fim da sua paciência. Um exemplo de um limite é dizer algo como: "Não vou deixar que você brinque com as minhas chaves", e levar as chaves embora. O limite é afirmado com calma, mas também com firmeza. Quando você perde a paciência, não tem esse controle e pode reagir de uma forma que assuste a criança, talvez arrancando a chave da mão dela e gritando.

Às vezes, os pais acham difícil impor limites — por exemplo, quando uma criança muito desejada nasce depois de vários abortos naturais, uma fertilização in vitro ou até, em algumas circunstâncias trágicas, da morte de outro filho. Os pais podem ficar tão cegos de amor por esse milagre que perdem de vista seus próprios limites e veneram sua prole como se fosse um deus. Sem limites, seus filhos não vão descobrir até onde vai a sua paciência ou a dos outros e, se você crescer acreditando que é todo-poderoso, pode ir além de uma autoestima saudável e chegar à autoilusão. Todos precisamos de limites para termos algum tipo de estrutura que nos apoie em nossa vida e, dessa forma, possamos aprender a viver juntos, e as crianças não são uma exceção. Crie o hábito de definir um limite descrevendo o seu ponto de vista, e não o da criança, como "Não posso deixar você ficar com a minha chave" em vez de "Já falei que você não é confiável a ponto de poder ficar com as chaves". Mesmo se você tem um bebê que não consegue entender palavras ainda, definir as situações dessa maneira é um bom hábito. Mais tarde, quando depois você estiver impondo um limite para um adolescente, ele vai aceitar melhor algo como "Preciso que você volte antes das dez para nós não ficarmos preocupado" do que "Você é moleque demais para ficar na rua depois das dez".

O texto a seguir vem de um e-mail de uma amiga com quem eu tinha acabado de compartilhar minha teoria de definir a nós mesmos, e não aos nossos filhos.

> Noite dessas, em vez de dizer "Vai escovar os dentes. Vai escovar agora! Já falei quatro vezes, não vou falar de novo, vou tirar sua hora de computador se não for escovar agora", e assim por diante, eu disse: "Estou muito cansada hoje e estou ficando muito, muito cansada de ouvir minha própria voz enchendo sua paciência sobre escovar os dentes. Você pode ir, por favor?". E ele foi. Eu amo aquele menino.

Você quer que seus limites sejam efetivos, então não faça ameaças vazias. Antes que se comprove que a ameaça é vazia, é uma situação assustadora demais e, portanto, capaz de quebrar o processo de raciocínio de uma criança, em vez de ajudá-la a aprender a respeitar. E, depois que ela descobrir que suas ameaças podem não ser cumpridas, não vai conseguir levar você a sério. Portanto, cumpra o que diz, não ceda e não devolva as chaves (ou seja lá o que for). Isso pode causar um acesso de choro, mas é possível agir de maneira empática com a frustração da criança e continuar com a sua chave — e o seu limite.

Com bebês e crianças pequenas, os limites são definidos pegando a criança no colo e tirando-a de perto daquilo que você não quer que ela faça ou atrapalhe. Isso pode ser feito de maneira respeitosa. Respeitar uma criança não é o mesmo que a "mimar".

Por exemplo, você pode dizer: "Não é seguro provocar o cachorro, então vou tirar você de perto dele". Mesmo que a criança não tiver aprendido a falar ainda, falando com um tom firme e gentil e a removendo fisicamente do que estava fazendo você vai ensiná-la pouco a pouco que desaprova aquela conduta.

Ou pode ser: "Tirei você da sala para não fazer barulho enquanto tinha alguém fazendo um discurso". Ela pode não entender o que você diz, mas vai começar a aprender em um nível corporal o que é ou não apropriado. Se uma criança estiver usando um teclado de brinquedo como arma, você pode mostrar e explicar que os teclados são para tocar, e não para bater ou atirar. Nesse caso, você pode dizer: "A menos que você toque o teclado em vez de usar para bater no seu irmão, vou ter que levá-lo embora". Se o comportamento inapropriado se mantiver, você tira o teclado.

Fale de maneira calma, gentil e firme, faça o que diz que faria e seja coerente. A vantagem de não fazer ameaças vazias, de cumprir a remoção física, é que seus filhos aprendem a levar você a sério. Você é uma pessoa que fala a sério. O que me surpreendeu no uso dessa tática foi que, quando a criança cresceu demais para ser removida fisicamente da situação, ela já aprendeu que você cumpre o que promete e, por isso, faz o que for pedido, como se você ainda a pudesse pegar no colo. Se você já passou do estágio de conseguir pegar a criança no colo, é importante definir limites a partir de sua perspectiva, e não dela, e não entrar em guerras de motivos (ver mais adiante, pp. 255-7). Lembre-se: vocês dois estão do mesmo lado. Vocês dois querem estar contentes. A maneira de conseguir isso é ouvir e ter empatia com os sentimentos da criança, conter a frustração dela e aprender quando ser firme (quando sua paciência está chegando ao fim ou quando a segurança dela está em risco ou, mais normalmente, quando seus medos sobre a segurança dela são mais do que você consegue tolerar) e quando ser flexível. Você pode ser flexível quando, por exemplo, uma mudança de planos ou expectativas não vai atrapalhar nada no longo prazo, quando está sendo firme apenas para manter as aparências, ou quando está mais perto de manipular seus filhos do que de se relacionar com eles. Enquanto eu escrevia isso, estava escutando algumas crianças brincando no jardim do vizinho. Elas estavam ficando mais e mais barulhentas e começavam a parecer à beira da histeria. Então escutei uma adulta se dirigir a elas: "Para mim, o barulho de vocês está alto demais. Ou vocês brincam quietinhos aqui fora ou vão ter que entrar". Adorei a voz firme e calma dela e me senti mais segura, como se eu fosse uma daquelas crianças que estavam perdendo o controle e precisavam de um limite. Depois de um tempo, elas voltaram a ficar barulhentas, e ela saiu e disse com uma voz mais firme: "Muito bem, para dentro, agora", e todas entraram. As crianças sabiam que ela estava falando a sério.

    Estabelecer seu limite com o mínimo de negatividade possível também ajuda. Então, em vez de "Não pinte nas paredes", diga: "As paredes não são para pintar, o papel é para pintar. Tome aqui um papel". No exemplo a seguir, de um reparo após uma ruptura, a mãe de Aoife, Gina, aprendeu a fazer isso com uma criança de colo.

> Acabamos de ter um momento muito fofo. Aoife estava lavando as mãos depois de pintar e encheu uma tigela com água e a colocou com cuidado de lado. Eu disse: "Você foi tão cuidadosa com isso, Aoife", e ela disse: "Sim, eu fui" — então ela me abraçou. Percebi que, em vez de ser positiva, costumo dizer: "Não derrame a água", "Não molhe o piso". O abraço dela foi minha recompensa pelo meu bom comportamento como mãe.

No começo, os limites são para manter a criança em segurança. Podemos dizer: "Brinque no jardim, e não na rua, porque a rua não é segura". Depois passam a ser sobre pensar no ambiente e nas outras pessoas. Muitas vezes, quando os pais impõem um limite, fingem que a questão não tem nada a ver com eles. Dizemos coisas como: "Você precisa desligar a televisão depois desse programa porque já assistiu demais". Ao fazer isso, você está definindo a criança, e não a si mesmo. Ninguém gosta de ser definido ou de ouvir o que precisa fazer quando não acha que isso seja necessário. Nesse caso, o que você realmente quer dizer é: "Não quero mais a televisão ligada, então vou desligar depois desse programa". Além de ser bom se autodefinir em vez de fingir para a criança (e para si mesmo) que está agindo com objetividade, isso também é um bom modelo para ela. Você está mostrando que escuta seus próprios sentimentos, entende o que quer a partir do que sente, depois vai atrás do que quer. Esse é o segredo para manter a sanidade.

Você pode ter lido em algum lugar que não é bom para as crianças ter mais do que uma hora de tela por dia, por isso pode achar que está afirmando um fato objetivo quando diz que elas já viram televisão demais e precisam desligar o aparelho. Mas elas podem achar que não foi demais, então você as está convidando para um jogo indesejado de "tênis de fatos". Portanto, defina a situação a partir da sua perspectiva, apresente seu limite com uma afirmação sobre você, diga como se sente: "Não vou gostar se você ficar mais tempo na frente da televisão, então vou desligar depois do fim desse programa. Quer brincar de alguma outra coisa ou me ajudar a fazer o jantar?".

Perder a calma com a criança vai traumatizá-la e fazer com que ela se feche. Por isso, é muito melhor saber até onde vai a sua paciência e definir um limite antes de você chegar a esse ponto. Quando impõe um limite, você suspende um comportamento. Já quando sua paciência chega ao fim, você estoura porque o limite não foi colocado.

Portanto, se você perde a calma depois de escutar vídeos do YouTube e desenhos por duas horas, essa é a tolerância máxima da sua paciência, então você precisa definir um limite menor que duas horas. Os limites beneficiam a pessoa para quem o definimos, mas também são para o benefício de quem os impõe, e não podemos fingir que não.

Se você finge que tem razões válidas para um limite, está ensinando seus filhos a esconder seus verdadeiros sentimentos por trás de justificativas. Isso vai tornar a comunicação entre vocês mais difícil, pois eles vão ficar bons no jogo de elaborar argumentos em vez de compartilhar o que sentem. As conversas mais difíceis entre pais e filhos — sobre sexo e pornografia, sobre redes sociais, sobre estresse e pressões e sentimentos — vão ser muito mais difíceis a menos que, desde o começo, você tenha criado o hábito de falar sobre seus sentimentos e ouvir os deles e levá-los a sério.

Se inventar motivos para os limites, mesmo quando parecem lógicos, você vai enfrentar vários problemas. "Mas o papai me deixa ficar acordado até as oito e você diz que preciso dormir às sete e meia?" "Quem tem razão?", a criança vai se perguntar. A verdade nessa situação pode ser: "O papai não liga se você ficar acordada até as oito, mas eu sim. E agora quero você na cama às sete e meia porque tem um programa que quero ver às oito sem ser perturbada".

Devemos ser honestos com os nossos filhos, e isso significa compartilhar nossos sentimentos com eles, e não fingir que não temos nenhum. Nossos sentimentos e preferências pessoais inevitavelmente interferem em uma decisão como a hora em que eles devem ir para a cama, e não devemos fingir que não.

Do mesmo modo, as crianças podem ficar com raiva se as regras parecerem mesquinhas. Em uma família, o filho mais velho era autista. Ele precisava saber o que iria acontecer e quando, e tudo tinha de acontecer naquela hora e ser igual todos os dias. Os pais criaram os dois filhos seguintes com a mesma rotina e as mesmas regras porque achavam que seria "injusto" se dessem aos mais novos uma flexibilidade que o mais velho não teve. "John precisava dormir às oito quando tinha doze anos, então você também precisa dormir às oito", eles diziam. Se você for inflexível e se recusar a ver cada criança como um indivíduo, elas vão pouco a pouco começar a acumular rancor contra você e contra o irmão. E rancor é garantia de problemas futuros.

A regra geral para definir um limite é definir a sua perspectiva, e não a da criança. Por exemplo, suponha que seu filho está tocando uma música muito alta e está atrapalhando você. Ele está concentrando e se divertindo. Você, por outro lado, está começando a ficar com raiva. Em outras palavras, está chegando ao fim da sua paciência. Defina a sua perspectiva, descrevendo como se sente, em vez de definir a do seu filho. Diga: "Estou achando sua música alta demais. Gostaria que você baixasse o volume, por favor", em vez de "Essa música está muito alta, baixe o volume, por favor".

Meus pais nunca diziam como estavam se sentindo quando me davam ordens ou impunham limites, e lembro que isso era frustrante. Eu nem sempre conseguia identificar o motivo, mas algo não parecia real naquilo e isso me deixava brava e solitária.

Decidi que, quando eu tivesse filhos, faria as coisas de um jeito diferente. Seria honesta. Falaria a verdade. Não que não fosse um risco admitir meu egoísmo quando eu contasse para a minha filha que estava com frio e entediada e que por isso queria ir embora do parquinho, mas deu certo. Com o meu exemplo de dizer como eu me sentia e o que queria, minha filha aprendeu a fazer o mesmo. E não entramos em guerras de motivos.

O que é uma guerra de motivos? É quando você joga o "tênis de fatos" e finge que os sentimentos não interferem nem um pouco em uma decisão, até que a situação se transforma em uma guerra ou um impasse. Por exemplo:

ADULTO A gente precisa ir porque tenho de fazer o almoço.

CRIANÇA Não, não precisa. A gente pode comer o que sobrou de ontem.

ADULTO Está na hora de ir para casa almoçar de qualquer maneira.

CRIANÇA Eu não estou com fome, e tem maçãs na mochila se quiser.

ADULTO Você precisa almoçar direito e vamos para casa e ponto.

CRIANÇA Buááááááá!

Se você sempre se envolve em batalhas como essa, é porque ensinou aos seus filhos as regras do "tênis de fatos". Você pode pensar que é melhor ou que soa menos egoísta dar um motivo que envolva a criança ("Está na hora de você almoçar!), mas, se esse não for o verdadeiro motivo para querer ir embora do parquinho — por exemplo, o verdadeiro motivo é que você quer almoçar —, abre-se espaço demais para ela argumentar. Não há como discutir que *você* quer almoço.

A maneira como saímos de guerras de motivos é descrever como você se sente e dizer o que quer. É mais fácil negociar quando todos compartilham seus sentimentos em vez de fingir que tudo tem um motivo.

Então, tente a seguinte abordagem:

ADULTO Precisamos ir agora porque quero almoçar.

CRIANÇA Não quero ir.

ADULTO Sinto muito que você não queira ir, mas vou ficar de mau humor se não almoçar. Vou dar mais dois minutos para você terminar sua brincadeira e depois vamos embora.

E depois cumpra o que disse.

Lembro de ter uma surpresa muito agradável um dia quando eu disse para a minha filha que estava ficando com frio e entediada no parquinho, então sairíamos em cinco minutos, e ela facilitou as coisas para mim, dizendo: "Podemos sair em dois se quiser!".

Uma criança que é respeitada sendo ouvida e tendo seus sentimentos levados a sério tem menos inclinação a agir por frustração e é mais propensa a querer se dar bem com você e ter empatia. Uma criança que não é muito escutada será mais exigente. Com crianças muito pequenas, são necessários muitos anos até elas conseguirem se articular claramente, então você vai precisar ouvir por meio da observação. Aqui vai um estudo de caso para exemplificar o que quero dizer.

Meu filho, Paul, de seis anos, tem dificuldades de fala e linguagem provavelmente relacionadas a autismo, mas ainda não tivemos um diagnóstico formal. Quando ele era menor, a casa às vezes parecia uma zona de guerra.

Depois que eu e minha mulher começamos a tentar entender a vida da perspectiva dele, a vida de todos nós melhorou. Precisamos dedicar muito tempo e esforço observando e escutando para aprender com ele. Ele nos ensinou a ser pacientes. Aprendemos sobre quando podemos estimulá-lo a ir um pouco além e quando recuar. Também temos uma filha, que é dois anos mais velha do que ele. Como ela é mais parecida conosco na maneira como age, não tivemos de quebrar tanto a cabeça. Mas, enquanto aprendíamos com nosso filho, começamos a observar e escutar melhor nossa filha também. Embora ela sempre fosse muito agradável, notamos que, à medida que começamos a ser mais atenciosos, ela começou a ser mais atenciosa conosco também.

DEFINIR LIMITES COM CRIANÇAS MAIS VELHAS E ADOLESCENTES

> *Quando eu era um garoto de catorze anos, meu pai era tão ignorante que eu mal conseguia suportar ficar perto dele. Mas, quando completei 21, fiquei estarrecido com o quanto o velho havia aprendido naqueles sete anos.*
>
> Mark Twain

Impor limites para adolescentes pode ser muito mais difícil do que foi quando seus filhos eram mais novos. No entanto, é mais fácil se você tiver o hábito de descrever a sua perspectiva em vez de definir a dos seus filhos. Mas, caso não tenha, nunca é tarde demais para começar.

Quando meu filho Ethan se tornou adolescente, as coisas ficaram sérias. Ele havia tido alguns problemas na escola antes — nada fora do comum. Mas, quando tinha por volta de dezesseis anos, as coisas ficaram feias. Um dia me ligaram para buscá-lo na delegacia porque tinha se envolvido em um "roubo no supermercado". Um grupo de quem ele era amigo havia enchido um carrinho num supermercado com cervejas e doces e tentado sair correndo sem pagar nada. Ele disse que não fazia ideia do motivo por que tinha feito isso, só se deixou levar pela ideia. Ele não era assim. Mas fiquei com medo de que poderia estar se tornando...

Cervejas e doces. Esse é um retrato da situação do adolescente: no meio do caminho entre a infância e a fase adulta. Como ele vai conseguir lidar com isso? Você se lembra de como as coisas eram confusas na sua adolescência? E como vamos lidar com isso no papel de pais? Você pode falar sobre como esse comportamento faz você se sentir. "Decepção" é uma palavra muito usada pelos pais quando o filho chega a esse estágio. É mais marcante para os filhos quando um pai ou uma mãe relata esse sentimento do que quando tenta descrever o adolescente dizendo, por exemplo: "Você está se comportando como um idiota". Outra ferramenta é seguir a lista de resolução de problemas a seguir, um passo a passo para que o adolescente consiga entender seu próprio processo de raciocínio. Com o tempo, o jovem vai aprender a conduzir o processo sozinho.

1. DEFINA O PROBLEMA

Neste exemplo: "Não acho que roubar seja aceitável. Vamos ter que entender por que isso aconteceu e encontrar um jeito para que nunca aconteça novamente. Morri de vergonha quando tive de buscar você na delegacia".

2. ENCONTRE OS SENTIMENTOS POR TRÁS DO PROBLEMA

A conversa pode se dar mais ou menos da seguinte forma: "O que acontece quando vocês cinco se juntam, já que individualmente não parecem criminosos natos?".
"Não sei."
"Certo, pensa um pouco. Como você se sentia antes de fazer isso?"
"A gente estava brincando e rindo."
"O que aconteceu depois?"
"Começamos a desafiar uns aos outros."

"E o que aconteceu depois?"
"A gente foi lá e fez."
"Estou pensando se o problema não é que, quando vocês cinco se juntam, ficam se provocando, se deixam levar e desenvolvem uma pressão de grupo que é difícil demais para resistir. Não é isso?"
"É."

3. PROCURE SOLUÇÕES

"Então, da próxima vez que isso acontecer — quando estiverem prestes a fazer alguma coisa que você sabe que não é uma boa ideia —, como fazer para parar antes que a situação saia do controle?"
"Acho que a gente podia só imaginar, em vez de fazer de verdade. Dizer como seria engraçado *se* a gente fizesse isso."
"Isso poderia ser engraçado, e sem as consequências graves."
"Pois é."

Os passos 2 e 3 podem precisar ser repetidos porque pode haver algo mais sobre o qual o adolescente precisa conversar, como sentir que não consegue lidar com o que esperam dele na escola, ou qualquer outro problema. Talvez você possa dizer algo como "Será que você já não estava se sentindo raivoso e rebelde porque sofreu um castigo na escola?". Mas lembre-se: deixe que ele assuma a iniciativa na hora de procurar soluções.

Talvez seja bom impor um limite para os comportamentos futuros. Imponha o limite definindo a sua perspectiva, e não a dele.

Portanto, em vez de "Você não é confiável, está de castigo", diga: "Vou manter você em casa por algumas semanas porque, depois de ir à delegacia, preciso de uma folga de tanta preocupação. Quero manter você por perto por um tempo". Continue nomeando e comunicando seus sentimentos. Não julgue seus filhos. Descrevê-los como incapazes, impulsivos, indignos de confiança ou imaturos não vai ajudá-los a melhorar. É bom impor limites como "Não vou deixar você sair até eu sentir mais confiança", mas uma postura punitiva só aumenta a teimosia e não ajuda em nada a desenvolver um entendimento mais profundo entre vocês. E mantenha o diálogo aberto. Cumpra o que prometeu e monitore a situação para ver se as soluções estão surtindo efeito.

Lembre-se: quando quiser impor um limite, faça isso a partir da sua perspectiva, sem tentar definir a do adolescente. Exponha tanto seus sentimentos como seus motivos — porque seus sentimentos *são* o motivo. Por exemplo, seu filho de treze anos quer pegar o último ônibus da noite para atravessar a cidade sozinho. Você pode dizer: "Você está certo e provavelmente pode pegar esse ônibus e saber se comportar de maneira responsável e segura. O problema é que não sinto segurança para deixar você fazer isso. Preciso me acostumar com a ideia de que você está crescendo e que consegue se virar sem nós. Você vai ter de suportar meu medo mais um tempinho até eu conseguir permitir que isso aconteça". Ao falar dessa forma, você dá o exemplo de sinceridade ao mesmo tempo que impõe um limite. Seu filho adolescente vai conseguir entender que o fato de não poder pegar o transporte público no meio da noite não tem nada a ver com ele, mas com você. Ele saberia disso de todo modo, mas, por você não fingir o contrário, pode ser mais tolerante com a sua decisão, o que vai ajudar no estabelecimento de uma boa relação.

ADOLESCENTES E JOVENS ADULTOS

Embora seja clichê dizer isto, seus filhos adolescentes estão passando por uma fase. Os seres humanos só atingem a maturidade (mais ou menos) na casa dos vinte anos. Até lá, somos mais propensos a cometer erros na hora de correr riscos e tomar decisões. Acredita-se que isso seja porque nossos lóbulos frontais, onde acontece boa parte do nosso raciocínio, ainda não estabeleceram conexões rápidas com outras partes do cérebro. Ao mesmo tempo, porém, nossa capacidade de entusiasmo está chegando a um ápice singular na vida. Os adolescentes parecem sentir as coisas de maneira mais profunda e absoluta do que crianças ou adultos. Embora a impulsividade intensifique suas emoções, sua capacidade de pensar "Essa é uma má ideia" ou "Não faça isso" ainda está em construção. Algumas pessoas desenvolvem o controle de impulsos mais tarde do que outras, mas isso não significa que elas nunca vão aprender a pensar de antemão nas possíveis consequências antes de agirem. A maioria das pessoas chega lá em algum momento.

Assim como no estágio por que seus filhos passaram quando eram crianças de colo para descobrir a própria autonomia, os adolescentes precisam de amor e limites, além de uma forte dose de otimismo dos pais de que eles vão ser capazes de dominar suas emoções e sua impulsividade. Lembre-se: o comportamento se torna mais desafiador pouco antes de se atingir um marco comportamental. Pense nisso nos seguintes termos: eles vivenciam suas emoções em cores enquanto nós, em comparação, as sentimos em preto e branco. É ótimo quando eles conseguem canalizar toda essa energia emocional na forma de criatividade, como música ou esportes, mas não é raro que parte dela venha à tona de maneira inapropriada. E sua função como mãe ou pai é oferecer um limite, um espaço para a busca de soluções e, o mais importante, não fazer tempestade em copo d'água.

O plano de três pontos para descobrir o que o comportamento inconveniente está comunicando, seguido pela resolução de problemas e pela busca conjunta de soluções, não é a única maneira de lidar com a situação. Cada família encontra sua própria forma de passar por esses marcos e de reparar uma ruptura. Esta é a história de Sophia:

Quando cheguei do trabalho, senti cheiro de fumaça. Entrei na sala e Camila, minha filha de dezesseis anos, estava lá com sua amiga. Eu nunca tinha gostado muito dessa amiga porque sempre parecia haver algum drama acontecendo na vida dela.

Então, eu virei para a amiga e perguntei: "Você estava fumando?". Minha filha disse baixinho: "Não, mãe, nós duas estávamos", mas eu não queria ouvir isso, e continuei dirigindo meu sermão contra a amiga, dizendo que não gostava que fumassem na minha casa. Minha filha, que normalmente é tão bem-comportada, ficou furiosa. Ela começou a gritar comigo: "Não, mãe, era eu! Para de implicar com ela! Por que você nunca escuta?".

Quando a amiga saiu, a raiva passou. Eu estava chocada porque ela não costumava ter explosões como essa. Eu disse: "Estou decepcionada por você ter falado comigo dessa forma. Não quero você por perto agora. Vai para o seu quarto". Quando meu marido, Adam, chegou, contei a ele o que havia acontecido. Ele me lembrou que nós dois éramos ex-fumantes, e que eu havia começado quando tinha a idade dela. E que nossa filha só estava dizendo que estava cansada de ser vista como um anjo e sua amiga ser vista como o diabo. Ele também disse que eu havia tirado conclusões precipitadas sobre a amiga.

Adam me fez ver o ponto de vista de Camila. E, quando também lembrei como era o cérebro adolescente, comecei a me acalmar.

Enquanto eu conversava com Adam, estava esticando uma massa para colocar em cima de uma torta feita com as sobras do dia anterior. Então recortei as letras "FUMAR MATA" e as coloquei em cima da torta. Era uma oferta de paz para a minha filha. Quando ela desceu para jantar, estava envergonhada. Mas, quando viu a torta, deu risada, então todos rimos, e a tensão se dissipou.

Camila tirou uma foto e a colocou no Facebook, contando a história de ser pega fumando, ter uma briga aos berros comigo — e nossa recém-batizada "torta da paz". Uma de suas amigas comentou que eu deveria ter feito uma torta de bitucas de cigarro e a obrigado a comer — mas nem eu teria ido tão longe!

Lembre-se disto quando tiver problemas com seus filhos adolescentes: se você tiver o hábito de ouvir e ver a situação do ponto de vista deles além do seu, em um futuro nem tão distante vocês vão conseguir se lembrar de situações como essa e dar risada. Em outras palavras, você vai reparar a ruptura, especialmente se der o primeiro passo. Seja fazendo uma torta da paz ou, mais provavelmente, usando palavras.

Também é importante lembrar de não renegar a visão do adolescente sobre você. Como adultos, não costumamos evoluir e nos desenvolver tão rapidamente quanto nossos filhos, e a imagem que temos deles pode ter sido apropriada seis meses atrás, mas não está atualizada hoje. Seis meses atrás, eles poderiam ter agradecido sua ajuda com a lição de casa, mas hoje veriam isso como uma interferência irritante. Lembre-se de não entrar na defensiva quando eles lhe disserem que você é irritante ou simplesmente não está com a razão. Mas, se sua paciência estiver chegando ao fim, pode ser apropriado ajudá-los a encontrar uma maneira de expressar a queixa deles sobre você de uma forma que seja mais fácil de escutar. Tudo isso se torna menos complicado quando você e sua família expressam suas vivências, seus sentimentos e suas definições de limites com frases autodescritivas que comecem com "eu" em vez de frases que definam o outro.

Um adolescente pode perder parte do seu encanto por um tempo enquanto forja uma própria identidade separada da família, desenvolvendo novos marcadores de identidade para ajudá-lo a formar novas tribos e entrar nelas. Você não perdeu seus queridos filhos. A partir do momento em que eles se sentirem seguros em seus novos grupos de amigos no ensino médio e, mais tarde, na universidade, a necessidade de se afastar de você vai diminuir, e as melhores características deles vão reaparecer. O cérebro adolescente pode ter momentos tão intensos quanto o de um animal selvagem indomado. E, embora possa ser difícil para você, como mãe ou pai, demonstrar empatia às vezes, continue tentando. E seja otimista: os lóbulos frontais deles vão chegar lá.

Um adolescente — e pessoas de vinte e poucos anos também — pode agir em função da insegurança que sente por não saber ainda seu lugar na vida. A insegurança é um tipo de medo e, às vezes, diante dessa sensação, nosso instinto é atacar. As oportunidades em algumas áreas para jovens podem ser escassas, e encontrar um papel e criar uma identidade já é uma situação desafiadora. Lembre-se: mostramos nosso pior logo antes de passarmos pelo obstáculo seguinte na vida. Os jovens adultos precisam de compreensão e apoio para encontrar seu caminho e, muitas vezes, eles só conseguem articular isso demonstrando sua frustração. É comum esse comportamento acabar se tornando inconveniente para as pessoas ao redor e para a sociedade em geral. Nunca descreva alguém como "mau". Em vez disso, ajude seus filhos a conseguir a ajuda de que precisam. Lembre-se: ajudar significa possibilitar que o indivíduo ajude a si mesmo. Quando resgatamos uma pessoa fazendo algo que ela é capaz de fazer sozinha, nós tiramos sua autonomia e podemos fazer com que se sinta ainda pior. Isso significa, por exemplo, ficar por perto como um mural em que os jovens possam expor suas ideias enquanto escolhem uma universidade, mas a escolha do que e onde estudar normalmente pode ser deixada a cargo deles. Podemos lembrar que a maioria dos cursos permite que os interessados assistam a algumas aulas como ouvintes, mas a tarefa de pesquisar e agendar uma visita deve ser deixada a cargo deles também. Podemos compartilhar o que sabemos, mas isso não pode chegar ao ponto de determinar o que eles devem ou não fazer.

    Quando um adolescente mostra um comportamento antissocial que nós não fazíamos ideia de que nosso anjinho era capaz, o que os pais tendem a dizer é: "Ele está andando com más companhias". As famílias de cada um dos adolescentes do grupo podem estar dizendo exatamente a mesma coisa. Para os outros pais, o seu filho pode ser a má companhia. O que acontece nesses casos é bem típico, e todos nós fazemos; em vez de admitir que nosso filho é responsável pelo que aconteceu assim como todos os outros, culpamos os demais e nos vemos como vítimas inocentes. Não que alguém seja uma "má companhia", mas a pressão dos pares é irresistível. Pense em tudo que você aprontou por causa da pressão dos outros adolescentes nessa idade.

Crianças e adolescentes gostam de experimentar coisas novas, e isso é normal, mas não significa que você deva achar todos esses experimentos aceitáveis, claro. Você pode compartilhar o que sente com eles: "Fiquei com raiva quando...", "Fico com medo quando você...", "Não gosto quando você...". No entanto, não perca uma oportunidade de compartilhar sentimentos mais positivos também. "Senti orgulho quando você...", "Me impressiona muito quando você...", "Me sinto transbordando de amor por você quando...", e assim por diante.

Se você não desdenhar dos sentimentos dos seus filhos como se fossem bobagens, se conseguir ouvir sem julgar, se validar a experiência deles, é mais provável que deixe as vias de comunicação sempre abertas e que eles continuem a confiar em você conforme ficam mais velhos. Isso torna a imposição de limites — deles e seus — mais fácil e mais natural de manter.

Se houver uma ruptura entre vocês, recomendo admitir com sinceridade o seu papel nessa ruptura. Se você não sabe o que é, recomendo perguntar para o jovem ou adolescente (sem ficar na defensiva) o que precisa ser feito para remediar a situação. Ou perguntar o que você poderia fazer para tornar mais fácil para você e seus filhos conversarem mais tranquilamente. Nesse caso, é bom lembrar que os mais velhos não detêm o monopólio da razão.

Também ajuda não se esquecer da simples regra geral: defina a sua perspectiva e os seus sentimentos, não os dos seus filhos. Sendo assim, diga "Não me sinto à vontade para deixar você frequentar bares ainda", em vez de "Você não tem idade para ir a bares".

Uma paciente, Liv, certa vez me falou de sua relação com o filho adolescente, Matt, de dezesseis anos.

Quanto mais tempo passamos juntos — fazendo coisas juntos, saindo juntos —, mais fácil é pedir a ele fazer que faça, como trocar os lençóis ou esvaziar a lava-louças. Quando digo: "Você pode fazer isso?", ele diz: "Sim, claro". Mas, quando estou entretida com minhas coisas ou tão ocupada no trabalho que acabo me isolando, quando peço a mesma coisa para ele — "Você pode fazer isso?" —, ele costuma dizer "Não" ou até "Não, por que eu faria isso?". No passado, entrávamos em ciclos de discussão. Só que então eu ficava menos ocupada no trabalho, mais disponível para ver televisão juntos ou ir comer uma pizza, e nossa vida voltava a ter mais cooperação.

Só fiz essa descoberta depois que ele tinha dez anos. Falei para o meu marido: "Você não pode simplesmente viver sua vida como bem entender e entrar na vida do Matt dizendo: 'Quero que você faça isso'". Seria quase como se um estranho entrasse na sua casa falando para você o que fazer. Quanto mais conexão existir entre todos nós, mais fácil é resolver qualquer problema e negociar para que cada um tenha o que precisa.

A experiência de Liv me lembra que é importante passar um tempo com nossos filhos, qualquer que seja a idade deles, e escutá-los, não apenas estar perto quando estamos todos olhando cada um para sua tela, ou vivendo vidas praticamente separadas e apenas dividindo o mesmo espaço. Precisamos ter certeza de que estamos criando uma conexão com eles além de viver junto.

Quando as vias de comunicação estão abertas, as conversas mais complicadas e delicadas que você precisa ter sobre sexo, drogas, bullying, amizades, pornografia e o mundo virtual se tornam mais fáceis. Você pode aprender como essas coisas são vistas pelos seus filhos e pela geração mais nova e cada um pode compartilhar seus sentimentos e seu conhecimento sobre isso e mudar nesse processo. Se você não tiver nenhuma disposição para se deixar impactar pelas opiniões e pelos sentimentos de seus filhos, eles se mostrarão menos propensos a permitir sua influência e seus sábios conselhos.

Se tentar se lembrar de como era na idade deles, isso pode ajudar você a encontrar um meio-termo com seus filhos, embora examinar sua própria adolescência possa lhe causar um despertar desagradável, como na seguinte citação: "Na esperança de entender melhor Bron, li os diários que eu mantinha na idade dele. Fiquei estarrecido com a vulgaridade e presunção" (Evelyn Waugh, diário, 1956).

Exercício: Máximas para o comportamento
- Descreva a sua perspectiva em vez de definir a dos seus filhos.
- Não finja que suas decisões são baseadas em fatos quando, na verdade, são baseadas nos seus próprios sentimentos e preferências.
- Lembre-se de que vocês estão do mesmo lado.
- Colabore e procure soluções junto com eles em vez de ditar ordens.
- A falta de autenticidade causa uma ruptura e você será capaz de reparar isso com sinceridade.
- E lembre-se: as crianças se comportam como você se comporta com elas.

Exercício: Adolescente mais velho como inquilino

Se você está tendo dificuldades para saber quais são os limites plausíveis a impor para um adolescente mais velho, imagine que ele é um inquilino que veio morar na sua casa. Você ainda teria regras, mas as definiria a partir da sua perspectiva, e não da dele. Por exemplo:

- "Eu gostaria que você deixasse suas mochilas no seu quarto, e não no corredor."
- "Quero que você chegue antes da meia-noite porque não durmo bem se achar que alguém vai me acordar chegando no meio da madrugada."
- "Não gosto de pratos com restos de comida no quarto e não vou permitir isso."
- "Pode usar a máquina de lavar quando quiser."

Se você encarar um filho quase adulto como seu inquilino, pode ser útil conceder parte da distância respeitosa que ele pode estar querendo tanto.

Algo que os pais devem ter em mente: para ajudar nossos filhos a entender os quatro pilares do comportamento apropriado, nós mesmos precisamos praticá-los. Precisamos tolerar a frustração, ser flexíveis, ter habilidades de resolução de problemas e conseguir ver as coisas da perspectiva do outro.

E, FINALMENTE: QUANDO FORMOS TODOS ADULTOS

Ter um filho para mim é mais ou menos assim: num minuto, você está fazendo um progresso muito lento porque as perninhas do seu bebê só conseguem dar passos minúsculos. Depois, por um curto tempo, vão andar ambos no mesmo ritmo, e então você vai precisar correr para alcançá-lo. Essa última parte é a mais longa. É a parte pela qual investimos tanto tempo, carinho, consideração, respeito e amor. É nela que colhemos os benefícios de um estilo de apego seguro, da curiosidade sobre o mundo e da capacidade de saber o que sentimos, de modo que os filhos possam descobrir o que querem e do que precisam na vida e você tenha a satisfação de vê-los correndo atrás disso.

Você terá fornecido uma base segura, tanto emocional como prática, de modo que, se eles se perderem no caminho — e quem não se perde de vez em quando? —, terão um porto seguro para onde voltar em busca auxílio e conforto. Mesmo se você não estiver mais presente, afinal somos simples mortais, eles vão encontrar dentro de si mesmos uma base que foi construída na relação com você e que os ajudará a reencontrar seu caminho.

Significa muito para os filhos adultos quando os pais se interessam de maneira não intrusiva por sua vida. Você sempre foi um espelho para seus filhos. Como eles se veem e se sentem em relação a si mesmos vai sempre, em algum grau, ser influenciado pela maneira como você responde a eles, como fica feliz por eles, como se dirige a eles e como se relaciona com eles. Isso não acaba de repente quando eles chegam à idade de votar, quando têm seus próprios filhos ou quando se aposentam — continua. Quando uma mãe de cem anos sorri de alegria e orgulho pelo filho, mesmo que esse filho já tenha lá seus 75 anos, isso não é irrelevante; tem um efeito, faz diferença. Nosso orgulho por nossos filhos adultos é muito significativo para eles, muitas vezes mais do que a admiração e o elogio dos outros. Não assuma parte do crédito pelos triunfos dos seus filhos (a menos que eles ofereçam a você), porque isso não faz bem para eles, mas também não finja que não representou um papel nos contratempos que tiveram de enfrentar.

Nunca é tarde demais para tentar reparar uma ruptura, embora sempre ajude se ambos ainda estiverem vivos. A maneira de fazer isso, como sempre, é observar os sentimentos por trás do seu comportamento e do deles e tentar entendê-los. Por exemplo, caso considere uma afronta seu filho adulto dizer que seu novo namorado ou namorada não é a pessoa certa para você, não parta do princípio de que ele está sendo ciumento nem que está sendo grosseiro, mas sim que está agindo motivado por preocupação e amor, e responda a isso sem tentar puni-lo por dizer o que pode ser uma verdade inconveniente. Os papéis de pais e filhos podem se inverter, e você pode se encontrar sendo tratado como um filho pelo seu próprio filho.

Pode ser útil para nossos filhos adultos saber que podemos ter cometido erros que os levaram a tomar más decisões. E sinto muito se isso parece injusto. "Não é justo" foi minha primeira ideia de título para este livro, porque os adultos precisam investir muito tempo em seus filhos e, por mais atenciosos que sejamos, educar nunca tem garantias.

Um erro que os pais podem cometer depois que imaginam que suas obrigações praticamente acabaram é que às vezes se sentem competitivos em relação aos filhos e, quando se veem diante de uma conquista deles, precisam superá-la ou retrucar com um êxito seu. Veja, por exemplo, a experiência da Julie.

Contei para a minha mãe que o neto dela estava indo bem na escola e, em vez de ficar feliz por nós, ela simplesmente respondeu falando que minha irmã ia muito bem na escola, o que me magoou, e nem sequer era verdade. Foi como se ela estivesse tentando me superar. Perguntei por que ela estava sendo competitiva, e ela só ficou nervosa e mudou de assunto.

A avó nessa história pode ter apenas se lembrado de seu próprio orgulho ao ouvir a filha falar sobre o neto, mas sem dúvida se expressou mal. Quando nossos filhos são adultos, continua sendo importante não cometer erros e não reagir mal quando cometemos um, mas sim reparar a ruptura. Pode ser útil ter consciência de nossos hábitos de rivalidade do passado, como o "tênis de fatos" ou o jogo de ganhar e perder, porque podemos cometer deslizes e esquecer de vigiar nossas ações quando pensamos que nosso trabalho acabou e, assim, esses hábitos prejudiciais de relacionamento podem ressurgir. Embora todos sejam adultos agora, a antiga dependência e o laço parental fazem com que os pais ainda exerçam uma grande influência sobre como seus filhos adultos se sentem sobre si mesmos e sobre sua vida. Precisamos ter isso em mente para não os colocarmos para baixo sem querer, como no exemplo anterior, ou nos sentirmos tão próximos que soltamos nossa voz crítica interior contra eles.

Nossos laços com nossos filhos podem ser algumas das relações mais importantes e formativas de nossa vida, e precisamos continuar a cuidar delas, mantendo o respeito por eles quando são adultos, além de amá-los.

E, assim como recomendei relembrar nossa própria infância para notar como isso influencia a infância de nossos filhos, é bom ver como nossos pais agem conosco agora que somos adultos, e o que faremos de igual ou de diferente quando nossas crianças crescerem.

Mais à frente, se tivermos a sorte de uma vida longa, pode ser necessário que os nossos filhos tomem decisões por nós nos estágios finais dessa relação vitalícia. Se tivermos aprendido a confiar neles, isso vai ser mais fácil para ambas as partes. Ter filhos significa que você terá de ser o pai ou a mãe enquanto eles estiverem em fase de desenvolvimento, depois vocês serão adultos juntos e, por fim, você pode agir como uma criança e deixar para eles a obrigação de serem adultos. Se conseguirmos ser flexíveis e fluidos em relação a esses papéis, isso pode tornar as coisas mais fáceis para todo mundo.

Epílogo

Vestir, alimentar, dar banho e colocar na cama...

Vamos voltar à introdução e à piada do comediante sobre as quatro coisas que você precisa fazer com as crianças: "vestir, alimentar, dar banho e colocar na cama". Fazer isso — ser uma mãe ou um pai — pode não ser o piquenique que você imaginou, mas espero que se torne mais fácil se você fizer as seguintes coisas:

- Deixar de lado todos os bloqueios da sua infância que impedem seu carinho e sua aceitação, seu toque físico, sua presença física e sua compreensão.

- Criar um ambiente doméstico seguro e harmonioso onde as diferenças possam ser resolvidas com segurança.

- Aceitar que seus filhos precisam de brincadeiras com pessoas de todas as idades, experiências reconfortantes, e muito tempo e atenção.

- Conseguir ver as situações do ponto de vista dos seus filhos além do seu.

- Conseguir ajudar seus filhos a encontrar maneiras de expressar como se sentem de verdade (em vez de como você gostaria que eles se sentissem), e conseguir validar e tentar entender o sentimento deles (bem como o seu).

- Não sair ao resgate deles, e sim ajudá-los a encontrar suas próprias soluções deixando fluir uma troca de ideias para encontrar uma resposta para os problemas, em vez de se precipitar dizendo a eles o que fazer.

- Impor limites descrevendo a sua perspectiva em vez de querer definir o que eles são.

- Aceitar que você vai cometer erros. Você pode encarar seus erros sem ficar na defensiva e reparar a situação assumindo o equívoco e fazendo todas as mudanças necessárias.

- Deixar de lado a velha dinâmica de ganhar e perder, e substituí-la por uma de cooperar e colaborar.

Em outras palavras, você deve valorizar sua relação com seus filhos porque sabe que aquilo de que eles mais precisam é uma relação segura, amorosa, autêntica e acolhedora com os pais.

Lembre-se: quando houver um problema, não se concentre apenas na criança e não pense que o problema está apenas nela. Olhe para sua relação e para o que está acontecendo entre vocês. É aí que estará a sua resposta.

Essas regras gerais se aplicam qualquer que seja a sua idade e a idade dos seus filhos.

O que é incrível é que, apesar de todos os erros que cometemos, todo o amor que deixamos de dar, toda a raiva que descontamos nos nossos filhos, todas as vezes que os apressamos e todas as vezes que escondemos coisas deles ou ficamos indisponíveis para eles ou não confiamos neles como deveríamos, ou nos recusamos a ver as coisas de seu ponto de vista, ou nos identificamos demais e nos fundimos com eles e não deixamos que eles se separassem, ou exigimos demais deles, ainda assim criamos um laço com eles, e eles conosco.

É reconfortante saber que conseguimos tornar esse laço melhor e mais forte agindo com sinceridade e coragem para reparar quaisquer rupturas, sendo tolerantes com nós mesmos e levando em conta que todos fazemos nosso melhor. Podemos ajudá-los e estimulá-los a correr atrás de seus desejos, esperanças e sonhos. E acreditamos neles. E eu acredito em você.

Sugestões de leituras e produções audiovisuais

1. NOSSO LEGADO COMO PAIS

ELLMAN, Steven J. "Analytic Trust and Transference: Love, Healing Ruptures and Facilitating Repairs". *Psychoanalitic Inquiry*, v. 27, pp. 246-63, 2009.

FIRESTONE, Robert. *Compassionate Child-Rearing*. Nova York: Plenum Publishing; Insight Books, 1990.

HOLT, John. *How Children Fail*. Londres: Penguin, 1990.

2. O AMBIENTE DOS SEUS FILHOS

DUNN, Judy; Layard, Richard. *A Good Childhood: Searching for Values in a Competitive Age*. Londres: Penguin, 2009).

ESFAHANI SMITH, Emily. "Masters of Love. Science Says Lasting Relationships Come down to — You Guessed It — Kindness and Generosity". Disponível em: <https://www.theatlantic.com/health/archive/2014/06/happily-ever-after/372573/>.

GOTTMAN, John M. *The Seven Principles for Making Marriage Work*. Nova York: Crown, 1998.

SATIR, Virginia. *Peoplemaking*. Londres: Souvenir, 1990.

WINNICOTT, D. W. *Home is Where We Start From: Essays by a Psychoanalyst*. Londres: Penguin, 1990.

3. SENTIMENTOS

BOYCE, Thomas. *A criança orquídea*. Rio de Janeiro: Objetiva, 2020.
FABER, Adele; MAZLISH, Elaine. *How to Talk so Kids Will Listen and Listen so Kids Will Talk*. Londres: Piccadilly Press, 2012. [Ed. bras.: *Como falar para seu filho ouvir e como ouvir para seu filho falar*. Trad. de Adri Dayan, Dina Azrak, Elisabeth C. Wajnryt. São Paulo: Summus, 2003.]
_____. *Siblings without Rivalry*. Londres: Piccadilly Press, 2012.
HYDE, Jerry. *Play from Your Fucking Heart*. Winchester: Soul Rocks, 2014.
LANSBURY, Janet. "Five Reasons We Should Stop Distracting Toddlers and What to Do Instead". Disponível em: <http://www.janetlansbury.com/2014/05/5-reasons-we-should-stop-distracting-toddlers-and-what-to-do-instead/>.
PHILLIPS, Adam. Video on pleasure and frustration. Disponível em: <https://www.nytimes.com/video/opinion/100000001128653/adam-phillips.html>.
STADLEN, Naomi. *What Mothers Do*. Londres: Piatkus, 2005.
WINNICOTT, Donald. The 'Good-enough Mother' radio broadcasts. Disponível em: <https://blog.oup.com/2016/12/winnicott-radio-broadcasts/>.

4. CRIANDO OS ALICERCES

Mais informações sobre *breast crawl*: <http://breastcrawl.org/science.shtml>.
BEEBE, Beatrice; LACHMANN, Frank M. *The Origins of Attachment: Infant Research and Adult Treatment*. Londres: Routledge, 2013.
BOWLBY, John. *A Secure Base*. Londes: Routledge, 2005.
KATZ ROTHMAN, Barbara. *The Tentative Pregnancy: Amniocentesis and the Sexual Politics of Motherhood*. 2. ed. Londres: Rivers Oram Press: 1994.
LANCY, David F. *The Anthropology of Childhood*. 2. ed. Cambridge: Cambridge University Press: 2014.
LANSBURY, Janet. Janet Lansbury's blog. Disponível em: <janetlansbury.com>.
MOSS, Brigid. *IVF: An Emotional Companion*. Londres: Collins, 2011.
MURPHY PAUL, Annie. *Origins: How the Nine Months before Birth Shape the Rest of Our Lives*. Londres: Hay House, 2010.
RAPHAEL-LEFF, Joan. *Parent-Infant Psychodynamics*. Londres: Anna Freud Centre, 2002.
_____. *Psychological Processes of Childbearing*. 2. ed. rev. Colchester: Centre for Psychoanalytic Studies, 2002.

5. CONDIÇÕES PARA A BOA SAÚDE MENTAL

BEEBE, Beatrice et al. "The Origins of 12-Month Attachment: A Microanalysis of 4-Month Mother–Infant Interaction". Disponível em: <https://www.ncbi.nlm.nih.gov/pmc/articles/PMC3763737/>.

FELDMAN, Ruth. "Parent-infant Synchrony and the Construction of Shared Timing; Physiological Precursors, Developmental Outcomes, and Risk Conditions". *Journal of Child Psychology and Psychiatry*, v. 48, n. 3-4, pp. 329-54, 2007.

FELDMAN, Ruth. "Biological Foundations and Developmental Outcomes". Disponível em:<http://journals.sagepub.com/doi/10.1111/j.1467-8721.2007.00532.x>.

GILLETT, Tracy. "Simplifying Childhood May Protect against Mental Health Issues". Disponível em: <http://raisedgood.com/extraordinary-things-happen-when-we-simplify-childhood/>.

GRATIER, Maya et al. "Early Development of Turn-taking in Vocal Interaction between Mothers and Infants". Disponível em: <https://www.ncbi.nlm.nih.gov/pmc/articles/PMC4560030/>.

HILBRINK, Elma E.; GATTIS, Merideth; LEVINSON, Stephen C. "Early Developmental Changes in the Timing of Turn-taking: A Longitudinal Study of Mother–Infant Interaction". Disponível em: <https://www.ncbi.nlm.nih.gov/pmc/articles/PMC4586330/>.

JAMES, Oliver. *Love Bombing: Reset Your Child's Emotional Thermostat*. Londres: Routledge, 2012.

LANSBURY, Janet. *Elevating Child Care: A Guide to Respectful Parenting*. [S. l.]: CreateSpace Independent Publishing Platform, 2014.

_____. *No Bad Kids: Toddler Discipline without Shame*. [S. l.]: CreateSpace Independent Publishing Platform, 2014.

MIDDLEMISS, W. et al. "Asynchrony of Mother–Infant Hypothalamic-Pituitary-Adrenal Axis Activity following Extinction of Infant Crying Responses Induced during the Transition to Sleep". Disponível em: <https://www.ncbi.nlm.nih.gov/pubmed/21945361>.

MONTESSORI, Maria. *The Absorbent Mind*. Nova York: BN Publishing, 2009.

MYRISKI, S. et al. "Digital Disruption? Maternal Mobile Device Use is Related to Infant Social-Emotional Functioning". Disponível em: <https:www.ncbi.nlm.nih.gov/pubmed/28944600>.

NARVAEZ, Darcia F. "Avoid Stressful Sleep Training and Get the Sleep You Need: You Can Survive the First Year Without Treating Your Baby Like a Rat". Disponível em: <https://www.psychologytoday.com/blog/moral-landscapes/201601/avoid-stressful-sleep-training-and-get-the-sleep-you-need>.

NARVAEZ, Darcia F. "Child Sleep Training's 'Best Review of Research': Sleep Studies are Multiply Flawed Plus Miss Examining Child Wellbeing". Disponível em: <https://www.psychologytoday.com/blog/moral-landscapes/201407/child-sleep-training-s-best-review-research>.

_____. *Neurobiology and the Development of Human Morality*. Nova York: W. W. Norton & Co., 2014.

SCHWARTZ, Barry. *The Paradox of Choice: Why More is Less*. Nova York: Harper-Perennial, 2005.

SHONKOFF, Jack P.; GARNER, Andrew S. "The Lifelong Effects of Early Childhood Adversity and Toxic Stress". Disponível em: <http://pediatrics.aappublications.org/content/early/2011/12/21/peds.2011-2663.short>.

TRONICK, Ed. *The Neurobehavioral and Social-Emotional Development of Infants and Children*. Nova York: W. W. Norton & Co., 2007.

6. COMPORTAMENTO: TODO COMPORTAMENTO É COMUNICAÇÃO

EBELTHITE, Hannah. "ADHD: Should We be Medicalising Childhood?". Disponível em: <http://www.telegraph.co.uk/health-fitness/body/adhd-should-we-be-medicalising-childhood/>.

FABER, Adele; MAZLISH, Elaine. *How to Talk so Teens Will Listen and Listen so Teens Will Talk*. Londres: Piccadilly Press, 2012.

GREENE, Ross. *The Explosive Child*. Nova York: Harper Paperbacks, 2014. [Ed. bras.: São Paulo: Integrare, 2007.]

HOOPER, Christine; THOMPSON, Margaret. *Child and Adolescent Mental Health: Theory and Practice*. 2. ed. Londres: CRC, 2012.

LANSBURY, Janet. *Elevating Child Care: A Guide to Respectful Parenting*. [S. l.]: CreateSpace Independent Publishing Platform, 2014.

_____. *No Bad Kids: Toddler Discipline without Shame*. [S. l.]: CreateSpace Independent Publishing Platform, 2014.

LESLIE, Ian. *Born Liars: Why We Can't Live without Deceit*. Londres: Quercus, 2012.

SCHMIDT NEVEN, Ruth. *Emotional Milestones from Birth to Adulthood: A Psychodynamic Approach*. Bristol, PA: Jessica Kingsley, 1997.

TALWAR, Victoria; LEE, Kang. "A Punitive Environment Fosters Children's Dishonesty: A Natural Experiment". Disponível em: <https://www.ncbi.nlm.nih.gov/pmc/articles/PMC3218233/>.

Agradecimentos

Gostaria de agradecer aos meus falecidos pais. A maioria das coisas que eles fizeram foi ótima, e as que não foram tão boas me ajudaram muito em minha carreira como psicoterapeuta e escritora.

Quando eu estava grávida, sabia que queria fazer algumas coisas de maneira diferente de como eles fizeram e, por isso, recorri a muitos livros para me informar. Os destaques foram: *Compassionate Childbearing*, de Robert Firestone; *Como falar para seu filho ouvir e como ouvir para seu filho falar*, de Adele Faber e Elaine Mazlish; e *Psychological Processes of Childbearing*, de Joan Raphael-Leff. Achei suas observações sobre facilitadores e reguladores inestimáveis. O livro de Firestone é sobre alguns dos padrões tóxicos de comportamento que herdamos e passamos adiante sem perceber, como nossa voz crítica interior, ao passo que Faber e Mazlish escrevem sobre a sabedoria de validar sentimentos. Suas ideias permaneceram comigo e foram de grande ajuda na criação da minha filha, e todas influenciaram este livro. Também fui influenciada pela obra de Donald Winnicott, especialmente suas ideias sobre quando os pais sentem raiva ou rancor dos filhos, e o trabalho que ele fez para normalizar isso.

Li muito mais desde então. *Origins: How the Nine Months before Birth Shape the Rest of our Lives*, de Annie Murphy Paul, foi uma influência enorme para o capítulo sobre gravidez. Recomendo esse livro, bem como *The Tentative Pregnancy: Amniocentesis and the Sexual Politics of Motherhood*, de Barbara Katz Rothman, para as gestantes. Mas os livros não foram minha única fonte valiosa; o blog de Janet Lansbury (JanetLansbury.com) foi uma grande influência para mim e para este livro, e o recomendo fortemente para saber como agir com crianças de colo e como entendê-las. Com ela, aprendi ideias sobre como é prejudicial distrair as crianças de seus sentimentos, a mensagem sobre não sentar os bebês e o estudo de caso sobre quando ajudar e quando não resgatar (Freya). Também foi no blog dela que li pela primeira vez sobre a importância de respeitar nossos filhos além de amá-los. Sou grata a *A Good Childhood: Searching for Values in a Competitive Age*, de Judy Dunn e Richard Layard, pela pesquisa sobre estrutura familiar e as consequências implícitas para os filhos. *The Anthropology of Childhood*, de David F. Lancy, é de onde tirei a expressão "magia imitativa", bem como o conceito de educação concentrada no filho ou nos pais, o que se somou às ideias que aprendi com Joan Raphael-Leff. Devo muito a *Neurobiology and the Development of Human Morality*, de Darcia Narvaez; suas ideias e pesquisas foram valiosíssimas para mim, em especial sua pesquisa coletada sobre treinamento de sono e seu potencial prejudicial. *A criança explosiva*, de Ross Greene, me ajudou muito a definir e delimitar quando as crianças se comportam de maneira inconveniente, e achei suas ideias sobre disciplina colaborativa muito úteis. É dele a ideia de que é preciso flexibilidade, habilidades de resolução de problemas e tolerância à frustração para saber se comportar. Greene também me deu a ideia de uma carta escrita do ponto de vista da criança para ajudar os pais a terem empatia pelos filhos. Esse e outros livros, blogs, podcasts e vídeos em que me baseei estão listados na seção "Sugestões de leituras e produções audiovisuais".

Há também muitas pessoas que preciso agradecer. Vou começar com os profissionais: devo muito à sabedoria de Margaret Connell, a diretora da escola de ensino médio da minha filha, Flo, que não apenas a educou como também me ensinou muito, especialmente sobre filhos e mentiras. Meus colegas psicoterapeutas com quem conversei enquanto escrevia este livro têm minha gratidão eterna. Devo um agradecimento especial à minha amiga Dorothy Charles, da Califórnia. Dorothy me ajudou com a "dinâmica de ganhar e perder", e nossas conversas e seus comentários sobre uma versão anterior foram muito úteis. Minha amiga, a psicoterapeuta gestalt Julianne Appel-Opper, de Berlim, me ajudou com muitos dos conceitos neste livro, especialmente sobre diálogo, o vaivém do contato e sua metáfora maravilhosa para a teoria do apego. Ela leu um dos primeiríssimos rascunhos e fez comentários inestimáveis. Este livro seria muito mais mixuruca sem ela. Passamos quatro dias em um spa no leste da Alemanha trocando ideias para o livro, e mal posso esperar para outras miniférias com ela quando eu não estiver escrevendo. Nicola Blunden, da Universidade de South Wales, me ajudou muito a trocar ideias quando nos hospedamos juntas em uma cabana em South Downs em nosso grupo de escrita de duas pessoas. Nicky Forsythe, fundadora e CEO da Talk for Health, em Londres, desenvolveu o exercício "Você se sente à vontade com suas emoções?", ao passo que o exercício "Como melhorar no diálogo" foi adaptado de um exercício de "Como escutar", que ela ensina na Talk for Health. Devo um agradecimento à escritora Wendy Jones, que, quando eu estava em dificuldade com o livro, fez um exercício gestalt de duas cadeiras comigo que me fez ter uma conversa com este livro e me deu uma ideia mais clara sobre a direção que queria que ele tomasse. Agradeço a Louis Weinstock, terapeuta infantil e familiar da Bounce Works, por seu estímulo e seu feedback sobre a tecnologia e o desenvolvimento de um humor habitual. Também sou grata à jornalista e estudante de psicoterapia Suzanne Moore, que disse a frase ressaltando a importância de "não apenas amar os filhos, mas gostar deles também"; sua frase ficou na minha cabeça e me influenciou a pensar neste livro. Agradeço a Aaron Balik, da Stillpoint, em Londres, que me permitiu usar as instalações dos Stillpoint Spaces, onde fiz minhas edições. Vocês todos foram generosos com seu tempo, suas ideias, seus estímulos e seu carinho, e eu não poderia ter feito isto sem vocês.

Minha filha, Flo, leu minhas confusas primeiras anotações quando eu queria desistir e implorou para seguir em frente. Também me deu conselhos nos rascunhos seguintes. Me convenceu de que valia a pena continuar; se não fosse por ela, eu não teria conseguido. Ela também foi muito generosa ao ser o único estudo de caso recorrente e indisfarçado do livro. Flo me ensinou muito sobre a vida. Ver o mundo pelos olhos dela me tornou uma escritora melhor e, o que é mais importante, uma pessoa melhor. Flo também me apresentou Hannah Jewell, que veio ficar comigo e foi uma grande companheira de escrita. Sou muito grata ao meu marido, Grayson, pelo amor, pela coragem e pela autenticidade na função de pai. Foi maravilhoso testemunhar sua relação com Flo, bem como ter uma testemunha para minha relação com ela. Ele teve de absorver grande parte do sofrimento pelo qual passei no processo de escrita deste livro, e sem reclamar. Também devo muito a vários amigos que me estimulam há muito tempo. Agradecimentos especiais a: Janet Lee; Yolanda Vazquez e Jonny Phillips; Alba Lily Phillips-Vazquez; Helen Bagnall (que tirou uma fotografia minha de quando eu estava emperrada na escrita deste livro, e outra de quando estava mais animada com ele), que, junto com Diccon Towns e Juliet Russell, me apresentou às plateias do Salon London e do Also Festival, que também foram muito úteis. Todas essas pessoas estiveram ao meu lado enquanto eu escrevia este livro, e as amo muito. Também sou muito grata àqueles amigos que vejo com menos frequência, mas com quem sempre converso pela internet. Eles também levantaram meu ânimo: obrigada a Rose Boyt, que me deu feedbacks úteis sobre meu manuscrito; Damian Barr, que me convidou a ler um rascunho deste livro para a plateia estimulante de seu Literary Salon no glamoroso Savoy Ballroom; e Clare Conville, que me convidou para o Curious Arts Festival e me proporcionou uma plateia maravilhosa com a qual experimentar algumas das ideias do livro. Amigos como esses me deram a coragem de que eu precisava.

Conversei com muitos, muitos pais para encontrar meus estudos de caso, e aqueles que não usei foram tão úteis quanto os que incluí aqui, porque moldaram e aguçaram meu raciocínio e me ensinaram sobre como é ter filhos, me ajudando a ver que meu ponto de vista como mãe e filha é apenas um dentre muitos. Não apenas conversei com muitos pais como muitos outros escreveram para mim, participaram das minhas enquetes, conversaram comigo on-line, entraram em contato comigo pela revista *Red*, para a qual escrevo uma coluna de conselhos, e alguns foram meus pacientes de psicoterapia. Devo muito a todos.

Também sou grata a todas as crianças, adolescentes e filhos adultos com quem tive o privilégio de conversar e aprender, especialmente meus pacientes, que me demonstraram várias e várias vezes como os padrões de sentimentos, pensamentos e respostas estabelecidos na infância podem se manter por muito, muito tempo. Agradeço a todos, pois vocês foram meus professores. Devo um agradecimento especial à paciente cujo pseudônimo neste livro é "Gina", porque ela não só me ofereceu um material para estudo de caso como também apontou erros nos primeiros rascunhos e foi uma apoiadora muito leal do meu trabalho.

Tenho muitos professores a quem agradecer. Maria Gilbert e Diana Smukler organizavam um grupo de leitura e supervisão de psicoterapeutas que se encontrava mensalmente durante anos no começo deste século. Nesse grupo, aprendemos e discutimos muitos conceitos, teorias e ideias de psicanálise relacional que apliquei à criação dos filhos neste livro, porém, mais do que apresentar meras ideias, essas duas professoras aumentaram minha confiança na minha capacidade com seu estímulo. Também fui encorajada pelo meu analista, o professor Andrew Samuels, que me mostrou que uma figura de autoridade não perde a autoridade quando se mostra vulnerável, em dúvida e autêntico. Ele também me disse uma vez que existem dois tipos de terapeutas, aqueles que frequentam oficinas e aqueles que fogem delas, e me deu um incentivo muito necessário quando disse que eu estava no grupo errado. Minha análise pode ter acabado anos atrás, mas os efeitos positivos se mantêm. Sou grata a todos os terapeutas que já tive. Na terapia, aprendi sobre o processo de estar em relações, e boa parte disso pode ser aplicada a qualquer relação, em especial àquela entre pais e filhos.

Obrigada a Karolina Sutton, minha agente, que me levou para almoçar e perguntou que ideias eu tinha para um livro. Falei que poderia escrever um sobre a importância da relação que se tem com os filhos como uma espécie de manual alternativo de criação dos filhos e, antes eu pudesse decidir se queria mesmo escrever ou não, ela já havia marcado uma reunião com Venetia Butterfield, da Penguin Random House. Nunca na criação de um livro tantas refeições foram consumidas. Venetia me levou para almoçar em muitas ocasiões e falamos muito sobre nossas experiências como mães e senti que estávamos em sintonia. Então, ela leu a primeira versão e não gostou. Passamos por um processo de ruptura e reparo e colaboramos para encontrar uma forma de que nós duas gostássemos. Poderíamos ter fugido uma da outra, mas não foi o que fizemos. Acredito que relações que saem dos trilhos podem retomar o rumo e se tornar mais fortes e melhores, e esse processo de ruptura e reparo é uma parte importante deste livro, e nós mesmas passamos por ele, nos papéis de editora e autora. Obrigada por aguentar firme, Venetia. Também sou grata a Aimee Longos, Jack Ramm e Sarah Day, por seus esforços editoriais.

E, por fim, se você ainda estiver lendo, antes que eu chegue à parte de "e todos mais que me conhecem" como se fosse uma participante saindo de um game show, tenho de agradecer à minha antiga colega da revista *Red*, que editou minha coluna de conselhos durante tantos anos, por fazer uma edição transformadora neste livro. Brigid Moss fez todas as perguntas certas e me obrigou a responder a elas. Brigid Moss, VOCÊ É UMA ESTRELA COMPLETA E ABSOLUTA, uma escritora e uma editora brilhante, uma mãe admirável, e eu te amo.

E todos mais que me conhecem. Isso pode soar trivial, mas todos influenciamos uns aos outros e apoiamos uns aos outros. Por exemplo, a "festa show" mencionada na seção sobre brincar é um jogo inventado por Esme, de um ano de idade. Cerca de duas décadas atrás, seu pai, Guy Scantlebury, estava reformando minha cozinha e às vezes chegava para o trabalho com uma cara bem cansada. "Festa show às cinco da matina", era a explicação que ele dava.

Philippa Perry
Setembro de 2018

Índice remissivo

abandono, 28, 31, 46
adolescentes, 262-70; limites, 258-60, 270; mentiras de, 242-3
adultos, filhos, 270-4
"ajudar, não resgatar", 184-8
alternância de turnos, 154, 164, 167
ambiente familiar, 41-60, 275
ambivalente/inseguro, estilo de apego, 132
apego, teoria do, 128-34
atenção, 168-71, 217; pedidos de, 59-60
autenticidade, 26, 269

bebês, 112; alternância de turnos, 154-5; apoio para os pais, 120-8; *breast crawl*, 115-7; choros coercivos, 134-6; contato de pele com pele, 113, 116; diálogo, 150-1; laço com, 117-9, 122-6; respiração, 153; sono, 176-84; teoria do apego, 128-34; *ver também* gravidez; parto
birras, 199, 204, 207, 225-30
boa vontade, estimular a, 56-8
bom comportamento *ver* comportamento conveniente
"bombardeio de amor", 170-1
bons pais, 37-8

Boyce, Thomas, 71-3
breast crawl, 115-7
brincar, 188-94, 275

celular, viciados em, 162-3
chocolate, 104
choramingos, 230-5
choros coercivos, 134-6
Como falar para seu filho ouvir e ouvir para seu filho falar (Faber e Mazlish), 67
comportamento conveniente, 196-7; qualidades que precisamos ter para nos comportar bem, 202-4, 206, 269
comportamento inconveniente, 197, 203; birras, 199, 204, 207, 225-30; buscar ajuda, 219; choramingo e excesso de apego, 230-5; explicações prejudiciais, 216-9; expressar sentimentos em palavras, 214-5; mentir, 235-47; prever dificuldades, 214; significado de, 207-13
comportamentos, 195-7, 269; adolescentes, 262-70; birras, 199, 204, 207, 225-30; choramingo e excesso de apego, 230-5; explicações prejudiciais, 216-9;

expressar sentimentos em palavras, 214; investir tempo positivamente agora, 213; jogo de ganhar e perder, 198-201; limites, 248, 249; mentir, 235-47; modelos, 196-7; qualidades que precisamos ter para nos comportar bem, 202-4, 206, 269; rigidez, 220-4; significado de comportamento inconveniente, 207-13
comunicação, vaivém da, 151-2, 164; *ver também* comportamento; diálogo
Connell, Margaret, 247-8
consideração pelos outros, 205
contenção de sentimentos, 62-3, 65-6, 135
conversar consigo mesmo, 33-6
Criança orquídea, A (Boyce), 71-3
cuidadores, 13n, 89, 131, 134, 159, 173, 176; *ver também* pais

Dalí, Salvador, 169
déficit de atenção com hiperatividade, transtorno do (TDAH), 220
dentes-de-leão (tipo de crianças), 72
depressão pós-parto, 141-2
desdenhoso, estilo de apego, 133
diafobia, 155-9
diálogo, 150-2, 167-9; capacidade inata para, 163-7; diafobia, 155-9; respiração e, 153
discussões, 49-56, 109
distração: discussões, 50; sentimentos e, 87, 93-6
dor, 46
dormir junto, 180, 201
dramatização, 64

Eagle Mountain Elementary School (Fort Worth, Texas), 229-30
emoções *ver* sentimentos
escutar, 161-2, 168, 174
estilos de apego, 128-34; desdenhoso, 133; evitativo, 133; inseguro/ambivalente, 132; seguro, 131-2, 178, 271
estrutura familiar, 41-2
evitativo, estilo de apego, 133

facilitadores (tipo de pais), 108, 110
famílias, 41-3; discussões, 49-56; estimular a boa vontade, 56-8; estrutura familiar, 41-2; *ver também* filhos; pais
felicidade, 85-6, 88-9
filhos: adultos, 270-4; ajudar, não resgatar, 184-8; ambiente, 41-60, 275; atenção, 168-71; birras, 199, 204, 207, 225-30; brincar, 188-94, 275; diálogo, 150-2; humor habitual, 175-6; julgamentos, 37, 39; limites, 248-58; mentiras dos, 239-47; método colaborativo, 222-5; modelos de comportamento, 196-7; pegajosos, 172-3; saúde mental dos, 150; sentimentos, 61-94; *ver também* adolescentes; bebês; comportamentos
flexibilidade, 202
frustração, 202, 204, 207, 225, 227

ganhar e perder, jogo de, 198-201
Gottman, John, 56-8
gravidez, 98-101, 110-1; chocolate na, 104; hormônios, 137-8; "magia imitativa", 102-5, 112; reguladores e facilitadores (tipos de pais), 108-10
guerras de motivos, 251, 255-6

hormônios, 118, 137-8, 145, 180
humor habitual, 175-6
Hyde, Jerry, 89

incentivo ao sono, 181-3
inseguro/ambivalente, estilo de apego, 132

James, Oliver, 170
jogo de ganhar e perder, 198-201
julgamentos, 37, 39

kaliai, povo, 103

laço, 117-9, 122-6; alternância de turnos, 154, 164, 167; teoria do apego, 130-4
Levenson, Robert, 56
limites, 220-1, 229; crianças mais velhas e adolescentes, 258-60, 267, 270; defina a sua perspectiva, 248-57, 267-8, 270, 276

mãe: contato de pele com pele, 113, 116; depressão pós-parto, 141-2; laço com o bebê, 117-9, 122-6; plano de parto, 112-3; relatar a experiência de parto, 114-5; *ver também* gravidez
"magia imitativa", 102-5, 112
mau comportamento *ver* comportamento inconveniente
maus pais, 37-8
McIntyre, Michael, 13
mentiras: dos filhos, 239-47; dos pais, 235-8
método colaborativo, 222-5
"monstros embaixo da cama", 83, 235
Montessori, Maria, 188
motivos, guerras de, 251, 255-6
Murphy Paul, Anne, 106

Narvaez, Darcia, 181-2

observação engajada, 160, 162, 165, 167
Origins (Murphy Paul), 106
orquídeas (tipo de crianças), 72-3
oxitocina, 118

pai: abandono, 28, 31, 44-5; com depressão pós-parto, 142

pais, 13, 126-7; abandono, 28, 31, 44-5; ajudar, não resgatar, 184-8; alternância de turnos, 154, 164, 167; apoio para, 120-8; bons e maus, 37-8; brincar com os filhos, 188-94, 275; como modelos, 196, 269; definição de limites, 248-61, 267; depressão pós-parto, 141-2; diafobia, 155; diálogo, 150-2; encontrar sentido na criação dos filhos, 174-5; estilo de apego, 128-34; estratégias de sono, 176-84; filhos adultos e, 271-3; investir tempo positivamente agora, 213; jogo de ganhar e perder, 198-201; laço com os bebês, 117-9, 122-6; mentiras dos, 235-8; método colaborativo, 222-5; observação engajada, 160, 162, 165, 167; permissividade, 220-2; reguladores e facilitadores, 108, 110; relação entre si, 41-60; rigidez, 220-1; sentimentos do passado, 17-34, 135, 276; separação, 43-5; solidão, 138-41; viciados em celular, 162-3; visualização guiada, 147-8; voz crítica interior, 34, 36-7, 40, 273; *ver também* mãe; pai
parto, 112; depressão pós-parto, 141-2; plano de, 112-3; relatar a experiência de, 114-5; *ver também* bebês; gravidez
pedidos de atenção, 59-60
pegajosos, filhos, 172-3
pele com pele, contato de, 113, 116
"permanência do objeto", sentimento de, 132, 182
permissividade, 220-2
Phillips, Adam, 88
prever dificuldades (exercício), 214
problemas, resolução de, 202, 259-60
procurar soluções, 223-4, 245, 260, 263, 269, 276

Psychological Processes of Childbearing (Raphael-Leff), 108

Räikkönen, Katri, 104
Raphael-Leff, Joan, 108-9
reciprocidade, 155-6, 159; diafobia, 155-9
reguladores (tipo de pais), 108-10
repressão, 64
resolução de problemas, 202, 259-60
respiração, 153-4
ressentimento, 21, 29, 31, 48, 224
rigidez, 220-1
ruptura e reparação, 78-9, 277; comportamentos e, 252, 263-4, 267, 269, 272; sentimentos do passado, 25-33

saúde mental, 149-50
Schwartz, Barry, 190
seguro, estilo de apego, 131-2, 178, 271
sentimentos, 14, 61, 96, 276; aceitar todos os humores, 85-8; comportamento e, 214-8, 224-5, 234-5, 272; contenção de, 62-6, 135; dissociados, 135-6; distração e, 87, 93-6; do passado, 17-34, 135, 276; dor, 46; dramatização, 64; expressar em palavras, 214-8; "monstros embaixo da cama", 83, 235; obrigação de ser feliz, 88-91; perigo de desaprovar, 73-8; "permanência do objeto", 132, 182; repressão, 64; ruptura e reparação, 78-9; sentir junto, 80; validar, 62, 66-9, 71-3, 80-1, 83, 90-1, 223, 225, 235, 245, 276
separação dos pais, 43-5
solidão, 138-41
soluções, busca de, 223-4, 245, 260, 263, 269, 276
sono, 47, 176, 178-80, 201; dormir junto, 180, 201; incentivo ao, 181-3
subornos, 205

Talwar, Victoria, 246-7
TDAH (transtorno do déficit de atenção com hiperatividade), 220
telas, viciados em, 162-3
"tênis de fatos", jogo de, 49, 54, 230, 253, 255-6, 273
teoria do apego, 128-34
turnos, alternância de, 154, 164, 167
Twain, Mark, 258

vaivém da comunicação, 151-2, 164
validar sentimentos, 62, 66-9, 71-3, 80-1, 83, 90-1, 223, 225, 235, 245, 276
viciados em celular/telas, 162-3
visualização guiada (exercício), 147-8
voz crítica interior, 34, 36-7, 40, 273

Waugh, Evelyn, 269
Widström, Ann-Marie, 115
Winnicott, Donald, 78

TIPOGRAFIA Adriane por Marconi Lima
DIAGRAMAÇÃO Osmane Garcia Filho
PAPEL Pólen, Suzano S.A.
IMPRESSÃO Gráfica Santa Marta, março de 2025

A marca FSC® é a garantia de que a madeira utilizada na fabricação do papel deste livro provém de florestas que foram gerenciadas de maneira ambientalmente correta, socialmente justa e economicamente viável, além de outras fontes de origem controlada.